Évelyne Bérard
Yves Canier
Christian Lavenne

Tempo 2

Cahier
d'exercices

Didier/HATIER

Couverture : Studio Favre & Lhaïk
Photos : (bg) Pix/Bavaria-Bildagentur, (hd) Explorer/A. Nicolas

© Les Éditions Didier, Paris, 1998   ISBN 2-278-04428-1   Imprimé en France

Sommaire

Unité 1

Exprimer ses goûts, son opinion

⌨ 1. EXPRIMER UNE OPINION POSITIVE OU NÉGATIVE

Écoutez les enregistrements, et pour chaque enregistrement, identifiez le thème évoqué et dites si l'opinion exprimée est positive ou négative :

enr.	thème évoqué	positif	négatif
1.			
2.			
3.			
4.			

enr.	thème évoqué	positif	négatif
5.			
6.			
7.			
8.			

2. CLASSER DU POSITIF AU NÉGATIF

Classez chaque groupe d'expressions de 1 à 3, du plus positif (1) au plus négatif (3) :

1. Ce riz est assez bon. ❏
   Ce riz est excellent. ❏
   Ce riz n'a pas de goût. ❏

2. C'était une journée ordinaire. ❏
   J'ai passé une journée intéressante. ❏
   C'était le plus beau jour de ma vie. ❏

3. Cette jupe ne te va pas du tout. ❏
   Elle est pas mal, ta jupe. ❏
   Elle est superbe, ta jupe. ❏

4. Ce n'est pas mauvais. ❏
   C'est délicieux ! ❏
   C'est plutôt bon. ❏

5. Il est d'une grossièreté, ton frère ! ❏
   Quel garçon délicat, ton frère ! ❏
   Ton frère ? C'est un gentil garçon. ❏

6. L'Italie ? Bof ! ❏
   L'Italie ? C'est fabuleux ! ❏
   J'aime bien l'Italie. ❏

3. EXPRIMER UNE OPINION NÉGATIVE

Complétez en utilisant l'expression la plus négative :

1. Alors, tu l'as trouvé comment Paulo ?
   Ton frère, c'est un parfait imbécile ! ❏
   Pas trop mal ! ❏
   On ne peut pas dire que c'est une
   lumière ! ❏

2. Il est comment, ton nouveau collègue de
   bureau ?
   C'est un bourreau de travail. ❏
   Pas très efficace. ❏
   Il passe sa journée à faire des mots croisés. ❏

3. Ils sont sympas, tes nouveaux voisins ?
   Ils ne me disent même pas bonjour ! ❏
   Ils sont sympas comme une porte de
   prison ! ❏
   Ils n'ont pas l'air désagréable… ❏

4. Elle marche bien, ta voiture ?
   Tu veux parler de mon tas de ferraille ? ❏
   Elle a besoin d'une bonne révision. ❏
   Elle roule, c'est l'essentiel. ❏

5. Tu en es content, de ton nouvel
   aspirateur ?
   Je le trouve un peu bruyant. ❏
   Il fait un bruit d'enfer. ❏
   Il manque un peu de puissance. ❏

6. Ça t'a plu, la soirée chez les Perrier ?
   Oui, mais sans plus. ❏
   C'était d'un ennui ! ❏
   On se serait cru à un enterrement ! ❏

7. Il est gentil, le chien de Philippe ?
   Une adorable petite bête. ❏
   Ça va, mais il est encombrant. ❏
   Ne m'en parle pas : un vrai fauve ! ❏

8. Alors, tu as eu un beau cadeau pour ton
   anniversaire ?
   Une cravate : ce n'est pas très original. ❏
   Oui, une superbe cravate. Tiens, regarde ! ❏
   Oui, regarde. C'est cette cravate. Atroce ! ❏

4. EXPRIMER UNE OPINION POSITIVE

Choisissez la réponse exprimant l'opinion la plus positive :

1. Il est comment, le fiancé de Catherine ?
   Beau comme un dieu ! ❑
   Pas mal, mais un peu grassouillet. ❑
   Très séduisant. ❑

2. Comment tu as trouvé l'exposition Soulages ?
   Je suis assez hermétique à ce type de peinture. ❑
   Je suis une fanatique de Soulages. ❑
   Te dire que j'ai adoré, c'est peut-être beaucoup dire. ❑

3. Alors, il est sympa ton nouveau patron ?
   Plutôt glacial. ❑
   Assez directif ❑
   Très ouvert. ❑

4. Ça t'a plu, la soirée chez Josette ?
   C'était gentil. ❑
   Sans plus. ❑
   On ne s'est pas ennuyé. ❑

5. Qu'est-ce que tu penses du nouveau prof de maths ?
   C'est un bon pédagogue, mais il va trop vite pour moi. ❑
   Je ne comprends pas tout ce qu'il dit. ❑
   C'est la première fois que j'y comprends quelque chose. ❑

6. Vous vous plaisez dans votre nouvel appartement ?
   C'est calme mais la vue n'est pas très jolie. ❑
   C'est très grand et on a le soleil toute la journée. ❑
   C'est très confortable mais un peu bruyant. ❑

5. EXPRIMER UNE OPINION POSITIVE OU NÉGATIVE

Écoutez le dialogue et remplissez le questionnaire suivant :

Êtes-vous satisfait :	oui	non	sans opinion
de l'accueil ?			
du service ?			
du repas ?			
du confort ?			
du film projeté pendant le voyage ?			
du respect des horaires ?			

6. VOCABULAIRE DU JUGEMENT

Choisissez l'expression la plus forte, la plus convaincante :

1. Grâce à une excellente politique commerciale, nous pratiquons des prix .... (exorbitants / imbattables / honnêtes / exceptionnels)

2. Découvrez notre restaurant panoramique et sa vue .... sur la vieille ville. (exceptionnelle / intéressante / magnifique / imprenable)

3. Venez vivre des moments .... dans notre nouveau parc d'attractions. (joyeux / inoubliables / heureux / importants)

4. La nuit du rire : une suite de sketchs tous plus .... les uns que les autres. (désopilants / drôles / amusants / comiques)

5. Le meilleur moment du film est une poursuite .... entre deux camions dans les rues de Chicago. (passionnante / haletante / formidable / captivante)

6. Venez danser sur les rythmes .... de Pedro Gonzalez, le roi de la salsa. (rapides / vifs / endiablés / mélancoliques)

▦ 7. EXPRIMER UNE OPINION POSITIVE OU NÉGATIVE

Écoutez le dialogue et remplissez le questionnaire suivant :

HÔTEL CIGOGNE
42, route de Dole
21000 DIJON
Téléphone : 03. 87. 52. 27. 20
Télécopie : 03. 87. 52. 32. 21

La direction vous remercie d'avoir choisi les hôtels Cigogne pour votre séjour et vous serait reconnaissante de nous remettre ce petit questionnaire au moment de votre départ. Il nous servira à améliorer le confort et l'accueil de nos clients.
Appliquez un ou plusieurs qualificatifs pour la chambre, le lit et la salle de bains.

	la chambre	le lit	la salle de bains
très confortable			
confortable			
pas très confortable			
petit			
grand			
spacieux			
bruyant			
calme			
ensoleillé			
sombre			
bien équipé			
mal équipé			

Êtes-vous satisfait :	oui	non	sans opinion
du personnel ?			
de l'entretien des chambres ?			
du petit déjeuner ?			
des horaires pour le petit déjeuner ?			
du restaurant panoramique ?			
des tarifs ?			

Vos suggestions :

....

....

....

8. VOCABULAIRE DU JUGEMENT (CHAUD / FROID)

Mettez en relation les expressions des deux colonnes :

1. Il y a eu une ambiance très chaleureuse.

2. Je suis frigorifié.

3. La rencontre entre les deux hommes a été glaciale.

4. Le climat est torride.

5. Le gouvernement va geler les prix des loyers pendant un an.

6. Les prix ont flambé.

A. C'était amical.

B. Ça a augmenté.

C. Ça ne va pas augmenter.

D. Ce n'était pas très amical.

E. Il fait froid.

F. Il fait chaud.

9. VOCABULAIRE (CHAUD / FROID)

Dites si les expressions en caractères gras sont employées dans leur sens premier (chaud / froid) ou dans un sens second :

	chaud	froid	sens premier	sens second
1. Ils ont évoqué **les questions d'actualité les plus brûlantes**.				
2. Tu as **les mains gelées**.				
3. Il faut garder **la tête froide**.				
4. Je vais **prendre le frais** sur la terrasse.				
5. **La discussion** a été **très chaude**.				
6. Il souffle **un vent glacial**.				
7. **Les relations** entre les deux pays **se sont réchauffées**.				
8. Son arrivée à provoqué **un léger froid**.				
9. C'est la fin de **la guerre froide** entre l'Est et l'Ouest.				
10. Quand il m'a dit le prix de la voiture, **ça m'a** tout de suite **refroidi**.				
11. Un peu d'amour, **ça réchauffe le cœur**.				
12. Je vais servir quelques **boissons fraîches**.				
13. Je ne suis pas **frais** ce matin.				
14. Ouf ! **J'ai eu chaud** ! Heureusement que j'ai de bons freins !				

10. VOCABULAIRE : CHAUD / FROID (SENS PREMIER / SENS SECOND)

Complétez en choisissant :

1. Il a tout de suite réussi à .... la salle en chantant *Le Rebelle*, repris en cœur par tout le public. (chauffer / refroidir / brûler)

2. Fais attention de ne pas te brûler. C'est .... ! (tiède / bouillant / doux)

3. C'est une fille très .... qui te met tout de suite en confiance. (froide / chaleureuse / fraîche)

4. Elle est très ...., très spontanée. (froide / fraîche / tiède)

5. Il m'a parlé d'un ton .... qui m'a mis mal à l'aise. (chaleureux / glacial / frais)

6. Bois ton café, pendant qu'il est .... ! (chaud / froid / glacé)

7. Quand les pompiers sont arrivés, tout avait .... (chauffé / bouilli / brûlé)

8. J'hésite encore. Je ne suis pas très .... pour ce projet. (tiède / chaud / froid)

9. Ce matin je ne suis pas très .... J'ai passé une nuit blanche. (chaud / tiède / frais)

10. Quand je lui ai parlé des risques qu'il courait, cela a un peu .... son enthousiasme. (refroidi / réchauffé / gelé)

11. SYNTAXE DES VERBES : « À » OU « DE » + INFINITIF

Complétez en utilisant « à » ou « de » :

1. Je commence .... comprendre.

2. Il a fini .... manger.

3. Je n'arrive pas .... terminer ce travail.

4. Je ne m'attendais pas .... le voir.

5. Il m'arrive .... me tromper

6. Je ne parviens pas .... te joindre.

7. J'hésite .... lui parler.

8. J'attends .... le voir.

12. COMPARATIF / SUPERLATIF

Complétez :

1. C'est le plus gentil .... tous.

2. Il est plus gentil .... toi.

3. La Paz, c'est la capitale la plus haute .... monde (3700 m d'altitude).

4. C'est le plus beau jour .... ma vie.

5. Aujourd'hui, il fait plus chaud .... hier.

6. C'est le meilleur restaurant .... la ville.

7. Nous sommes plus proches de Paris .... de Lyon.

8. Elvira, c'est la plus sympathique .... toutes tes amies.

13. COMPARATIF / SUPERLATIF

Complétez les phrases en utilisant les expressions entre parenthèses :

1. Arnaud pèse 95 kg. Les autres joueurs pèsent moins de 90 kg.
Arnaud est .... de tous les joueurs de l'équipe. (lourd)

2. Cette nuit, j'ai dormi 6 heures et demie. Avant-hier, j'avais dormi de 3 h du matin à 7 h et demie.
   Avant-hier, j'ai dormi .... que cette nuit. (longtemps)

3. Ma voiture actuelle fait du bruit. Mon ancienne voiture n'en faisait presque pas.
   Ma voiture actuelle est .... que mon ancien véhicule. (bruyant)

4. Le pull bleu est vraiment joli. Les autres le sont beaucoup moins.
   Le pull bleu est .... de la vitrine. (beau)

5. Une chambre à l'hôtel Ivoire coûte 360 francs. A l'hôtel Astor, elle coûte aussi 360 francs.
   Une chambre à l'hôtel Astor coûte .... qu'à l'hôtel Ivoire. (cher)

6. Hier, j'ai mis vingt minutes pour venir au lycée. Aujourd'hui, avec la grève des bus, il m'a fallu 45 minutes.
   Je suis venu .... hier qu'aujourd'hui. (rapidement)

7. Claudine est née le 26 juillet 1969 et Marina le 12 janvier 1971.
   Claudine est .... des deux. (âgée)

8. Gaël a eu 18 en maths et 14 en biologie.
   Gaël a eu .... note en maths qu'en biologie. (bonne)

14. COMPARATIF / SUPERLATIF

Complétez en choisissant :

1. Il est plus grand .... (que son frère / de son frère / des deux)

2. Son français est meilleur .... (du mien / que le mien / que moi)

3. C'est Pierre qui a .... notes de la classe.
   (meilleures/ les meilleures / les mieux)

4. C'est la .... équipe du monde. (mieux / meilleure / plus bonne)

5. Il travaille .... que toi. (mieux / le mieux / meilleur)

6. Est-ce que vous avez une .... solution à me proposer ?
   (mieux / plus bonne / meilleure)

7. Je ne parle pas très bien anglais, mais Annie, c'est .... que moi.
   Elle n'est même pas capable de dire « bonjour ». (mieux / pire / aussi bien)

8. Mon .... souvenir ? Eh bien c'est mon mariage avec Suzanne.
   (meilleur / pire / plus mauvais)

15. NUANCER UNE OPINION POSITIVE

Complétez en choisissant l'expression qui nuance négativement l'opinion exprimée :

1. Il est intelligent mais un peu .... (génial / timide / compétent)

2. Il a une excellente formation mais ....
   (il a beaucoup d'expérience / il manque d'expérience / il est très compétent)

3. Il est peut-être très beau mais ....
   (il est très intelligent / il ne brille pas par son intelligence / il est très brillant)

4. Il a de très bonnes idées mais il n'est pas très ....
   (réaliste / imaginatif / créatif)

5. Il a un bon sens du rythme, mais ....
   (il chante très bien / il chante comme une casserole / il danse très bien)

6. Il est excellent en affaires, mais ....
   (il est très honnête / il est sans scrupule / il est intègre)

16. VOCABULAIRE DE L'OPINION

Complétez les phrases avec l'adjectif qui convient :

1. Il est très .... Il quitte toujours son bureau à midi pile.
   (ponctuel / imprévisible / désordonné)

2. C'est un garçon tout à fait .... On ne peut jamais savoir comment il va réagir. (clair / imprévisible / fiable)

3. Ce matériel est très .... Il ne tombe jamais en panne.
   (fragile / délicat / fiable)

4. Je vous trouve très .... Vous avez fait prendre beaucoup de risques à notre entreprise. (imprudent / sage / prévoyant)

5. C'est une femme très .... Elle a obtenu d'excellents résultats depuis deux années. (désorganisée / imprévoyante / efficace)

6. La situation économique de notre entreprise a été très .... cette année. Nous avons connu des hauts et des bas et vécu une succession de crises.
   (stable / chaotique / saine)

17. VOCABULAIRE : FACILE / DIFFICILE

Complétez en choisissant :

1. C'est un problème .... Beaucoup d'éléments sont nécessaires pour en comprendre tous les détails. (simple / complexe / enfantin)

2. La tâche est .... Nous aurons besoin de plusieurs mois de travail pour en venir à bout. (enfantine / ardue / facile)

3. C'est un cas .... Il faudra être extrêmement prudent avant de prendre une décision. (limpide / banal / épineux)

4. L'utilisation de cet appareil est .... Un enfant de 4 ans pourrait s'en servir.
   (complexe / pénible / enfantine)

5. Ce n'est pas .... ! Tu branches le fil et ça marche !
   (simple / compliqué / aisé)

6. Je vous préviens que la tâche ne sera pas .... Il faut vous attendre à de nombreuses difficultés. (aisée / compliquée / complexe)

7. J'ai passé une journée très .... Je suis épuisé ! (tranquille / pénible / agréable)

8. C'est une opération ....qu'il est le seul à avoir réussie jusqu'à aujourd'hui.
   (aisée / délicate / banale)

18. VOCABULAIRE : GENTIL / MÉCHANT

Complétez en choisissant :

1. C'est .... ! Tout le monde la déteste ! (un ange / une peste / un amour)

2. Il est .... ! À cause de lui, elle est repartie en pleurant !
   (délicieux / odieux / charmant)

3. C'est un .... ! Tout le monde l'adore ! (démon / pervers / ange)

4. C'est un être .... Il a fait du mal à tout le monde.
(diabolique / exquis / délicieux)

5. Il s'est montré très .... avec moi. Il m'a beaucoup aidé.
(cruel / cynique / attentionné) ·

6. Ce que j'apprécie le plus chez lui, c'est son tact et ....
(son cynisme / sa délicatesse / son insolence)

▣▣ 19. VOCABULAIRE : BÊTE / INTELLIGENT

Écoutez et dites si le jugement formulé correspond à la bêtise ou à l'intelligence :

enr.	bêtise	intelligence		enr.	bêtise	intelligence
1.				6.		
2.				7.		
3.				8.		
4.				9.		
5.				10.		

20. VOCABULAIRE : HABILE / MALHABILE

Mettez en relation les phrases des colonnes 1 et 2 qui ont un sens contraire :

1. Il est nul en maths.

2. Elle a des doigts de fée.

3. C'est un as du volant.

4. Ses dons culinaires s'arrêtent aux œufs à la coque.

5. C'est le roi de l'informatique.

6. C'est un pro de la mécanique.

7. Elle a un talent fou, cette cantatrice.

8. Il a fait preuve de beaucoup d'adresse.

A. Elle chante comme une casserole.

B. C'est un éléphant dans un magasin de porcelaine.

C. Il n'a jamais touché un clavier de sa vie.

D. Il a la bosse des maths.

E. Il n'est même pas capable de changer une roue.

F. Elle n'est pas très habile de ses mains.

G. Il conduit comme un pied.

H. C'est un fin cordon bleu.

21. ÉLARGISSEMENT DU VOCABULAIRE – EXPRIMER UNE APPRÉCIATION POSITIVE SUR UNE PERSONNE

Complétez la phrase en choisissant l'appréciation la plus positive :

1. Moi, j'aime bien travailler avec Cyril Bochard. C'est quelqu'un pour qui j'éprouve une véritable .... (estime / fascination / affection)

2. Nous avons félicité Julien Chabrol parce que, dans son entreprise, il est particulièrement .... (entreprenant / motivé / dynamique)

3. Je crois que je suis un peu amoureux de Julie : elle est ....
(merveilleuse / attirante / charmante)

4. C'est une personne .... (agréable / chaleureuse / exquise)

5. C'est un plaisir de parler avec Sylvie. Elle est ....
(bien informée / vraiment cultivée / au courant de beaucoup de choses)

6. Je voudrais bien faire équipe avec Adrien : il est ....
(ouvert / attentionné / généreux)

7. Monsieur Duchamp est un véritable gentleman. Et puis, il est tellement
.... (séduisant / plaisant / mignon)

8. Avec Dupuis, pas de problème : c'est ....
(la bonne entente / la confiance / la complicité)

22. ÉLARGISSEMENT DU VOCABULAIRE – EXPRIMER UNE APPRÉCIATION NÉGATIVE SUR UNE PERSONNE

Complétez la phrase en choisissant l'appréciation la plus négative :

1. Joubert, c'est .... ! (un raté / un médiocre / un incapable)

2. Ne me parlez pas de ce petit chef : je n'éprouve pour lui que de .... !
(l'animosité / la haine / la rancune)

3. Je n'ai jamais vu un pareil .... ! (sot / débile mental / imbécile)

4. Je me méfie de Gilles : c'est un .... ! (faux jeton / hypocrite / dissimulateur)

5. Ce n'est pas possible d'avoir de bonnes relations avec la conseillère : elle est trop
.... ! (directive / sûre d'elle / volontaire)

6. Tu as vu la tête de Pingeot ? Il est vraiment .... ! (vilain / laid / horrible)

7. Quel sale caractère elle a, cette Irène ! Elle est .... !
(déplaisante / insupportable / désagréable)

8. Il est incroyable Dumangeot : je n'ai jamais vu quelqu'un d'aussi .... !
(indolent / paresseux / fainéant)

23. AIMER (SENS ET CONSTRUCTION DES VERBES)

Mettez en relation les phrases qui ont le même sens :

1. Je n'aime pas qu'on m'interrompe quand je parle !   A. Ça a été le coup de foudre.

2. J'aime faire la cuisine.   B. Taisez-vous !

3. L'important c'est d'aimer.   C. Vive l'amour !

4. J'aimerais vous parler.   D. Ça dépend des goûts.

5. Je l'ai aimé dès que nous nous sommes rencontrés.   E. Vous avez un instant à m'accorder ?

6. Le *Free Jazz*, on aime ou on n'aime pas.   F. Je suis un fin cordon bleu !

24. DÉSIRER (SENS ET CONSTRUCTION DES VERBES)

A. Complétez en choisissant :

1. Je désirerais .... quelques questions.
   (de vous poser / à vous poser / vous poser)

2. Je désire que vous me .... franchement. (parlez / parliez / parlerez)

3. Vous désirez .... ? J'ai aussi du thé, si vous préférez.
   (un café / à un café / de boire)

B. Remplacez le verbe « désirer » par un synonyme :

1. Est-ce que vous désirez vous inscrire au cours de français ?
   souhaitez ❏   espérez ❏   attendez de ❏

2. Vous désirez manger ou simplement boire un verre ?
   voulez ❏   espérez ❏   aspirez à ❏

3. Je désire un peu de tranquillité.
   J'espère ❏   J'aspire à ❏   Je convoite ❏

4. Je désire aller me baigner.
   J'ai envie d' ❏   Je convoite de ❏   J'ai besoin de ❏

5. Je désire aller aux toilettes.
   J'aspire à ❏   J'ai besoin d' ❏   J'espère ❏

25. AVOIR ENVIE (SENS ET CONSTRUCTION DES VERBES)

A. Complétez en choisissant :

1. J'ai envie .... une glace au chocolat. (d' / à)

2. Je n'ai pas envie qu'il .... me gâcher la soirée. (vient / viendra / vienne)

3. J'ai envie .... marcher un peu. Tu m'accompagnes ? (de / à)

B. Remplacez « avoir envie » par un synonyme :

1. Est-ce que vous avez envie d'un petit café ?
   avez besoin ❏   voulez ❏   espérez ❏

2. Il a envie de réussir sa carrière.
   Il a le goût ❏   Il a besoin ❏   Il a la volonté ❏

3. Ce dont j'ai envie, c'est d'une bonne nuit de sommeil.
   j'ai besoin ❏   j'espère ❏   j'ai le goût ❏

Unité 2

Dire à quelqu'un de faire quelque chose

26. IMPÉRATIF / INFINITIF

Complétez en choisissant :

1. Surtout, ne .... rien à vos habitudes ! (changer / changez)

2. Ne pas .... sans prévenir la direction. (partez / partir)

3. .... cuire à feu doux pendant 20 minutes, puis ajoute les tomates.
   (Laisser / Laisse / Laissez)

4. Ne pas .... le produit près d'une source de chaleur. (stockez / stocker)

5. Chère madame, ... patiente, ... votre temps.
   (être / sois / soyez) ; (prends / prenez / prendre)

6. .... vite ! C'est urgent ! (Venir / Venez)

7. .... Venise et mourir. (Voyez / Voir)

8. .... un emploi, c'est de plus en plus difficile. (Trouvez / Trouver)

9. .... un emploi rapidement grâce à 3615 JOB ! (Trouver / Trouvez)

10. .... messieurs, la réunion va commencer. (S'asseoir / Asseyez-vous / Assis)

27. « IL FAUT QUE » + SUBJONCTIF

Complétez en utilisant au subjonctif le verbe entre parenthèses :

1. Il faut que ...., mon petit Pierre, il va pleuvoir. (rentrer)

2. Il faut que .... avant midi, sinon nous serons en retard à notre rendez-vous. (partir)

3. Il faut que ...., sinon je vais rater mon train. (y aller)

4. Il faut que .... attention, ton pneu est dégonflé. (faire)

5. Il ne faut pas que .... à nous appeler si vous avez le moindre problème. (hésiter)

6. Vous pouvez téléphoner à mademoiselle Legrand et à madame Martin pour leur dire qu'il

   faut qu' .... me voir d'urgence ? (venir)

7. Il y a une chose qu'il faut que .... si vous désirez travailler avec moi :
   je ne supporte pas la fumée. (savoir)

8. Cela fait un an que je travaille du matin jusqu'au soir. Il faut que ....
   quelques jours de repos. (prendre)

⸬ 28. IMPÉRATIF / INFINITIF

Écoutez et dites si c'est l'impératif ou l'infinitif que vous avez entendu en cochant la forme correcte :

1. prêter ❑   4. visiter ❑   7. verser ❑   laisser ❑
   prêtez ❑   visitez ❑   versez ❑   laissez ❑

2. amener ❑   5. manger ❑   8. approcher ❑
   amenez ❑   mangez ❑   approchez ❑

3. décrocher ❑   6. changer ❑
   décrochez ❑   changez ❑

⸬ 29. DONNER DES INSTRUCTIONS

Écoutez l'enregistrement et remettez les instructions dans le bon ordre :

	Indiquer le prix de l'article.
	Introduire le chèque et le bulletin de commande dans une enveloppe timbrée.
	Préciser le mode de paiement.
	Reporter le code de l'article sur le bulletin de commande.
	Indiquer la quantité.
	Porter le montant global de la commande en bas à droite.
1	Choisir l'article à commander.
	Poster l'enveloppe.
	Préciser la taille de l'article.
	Ajouter les frais de port (35 francs).
	Signer le chèque.

⸬ 30. DONNER DES INSTRUCTIONS

Écoutez l'enregistrement et remettez les instructions dans le bon ordre :

Pour installer le programme antivirus :

	Appuyer sur entrée.
	Attendre l'annonce « installation réalisée avec succès ».
	Formater la disquette.
	Introduire une disquette vierge dans le lecteur A.
	La remplacer par la disquette n°1 (disquette de démarrage).
	Lorsque le programme vous le demandera, remplacer la disquette de démarrage par celle que vous avez formatée.
	N'oubliez pas d'identifier votre disquette (en inscrivant « antivirus » par exemple).
	Retirer la disquette du lecteur A.
	Suivre les instructions qui apparaissent à l'écran.
	Taper « installe ».

Pour vérifier que votre ordinateur n'est pas contaminé par un virus :

	Allumer l'ordinateur.
	Vérifier la présence éventuelle de virus.
	Éteindre l'ordinateur.
	Introduire votre disquette « antivirus » dans le lecteur A.
	Attendre la fin des opérations.

31. VERBES + « QUE » AVEC OU SANS SUBJONCTIF

Complétez en choisissant :

1. .... que vous passiez un bon séjour parmi nous !
   (Je souhaite / J'espère / Je crois)

2. .... que vous évitiez de lui parler de ce problème !
   (J'espère / Il faut / Je vous ordonne)

3. .... que pour une fois vous serez à l'heure !
   (Je souhaite / J'exige / J'espère)

4. .... que vous me donniez des explications !
   (J'exige / Je vous ordonne / Je vous demande)

5. .... que vous avez fait le bon choix !
   (Je souhaite / Il faut / Je crois)

6. .... qu'il puisse arriver avant midi !
   (Je crois / J'ai l'impression / Je doute)

32. LES ADVERBES EN « -MENT »

Reformulez chaque ordre ou conseil sur le modèle suivant :

Surtout, conduis prudemment !

Sois prudent !

1. Parle gentiment ! ....

2. Attendez patiemment ! ....

3. Travaillez intelligemment ! ....

4. Habillez-vous élégamment ! ....

5. Organisons-nous efficacement ! ....

6. Parlez courtoisement ! ....

7. Faites ça rapidement ! ....

8. Parlez-lui directement ! ....

9. Résumez ça brièvement ! ....

10. Faites ça discrètement ! ....

33. LES ADVERBES EN « -MENT »

Complétez en utilisant un adverbe en « -ment » dérivé de l'adjectif en caractères gras :

1. – Il m'a parlé................................
   – Ce n'est pas possible. Ce n'est pas quelqu'un de **méchant** !

2. – Il m'a regardé ....
   – Tu crois vraiment qu'il est **amoureux** de toi ?

3. – Il a .... réussi ses examens.
   – À mon avis, ce n'est pas parce qu'il est **brillant** qu'il a réussi. Je crois qu'il a eu de la chance !

4. – Il a ri .... alors que ce n'était pas drôle du tout.
   – Henri ? Il est **bête** comme ses pieds !

5. – Expliquez-moi .... votre situation.
   – Bon, je vais essayer d'être le plus **précis** possible.

6. – Il parle .... bien le chinois.
   – Ce n'est pas **étonnant** ! Sa mère est chinoise !

7. – Est-ce que tu as eu .... des nouvelles de Sylvie ?
   – Ce n'est pas très **récent**. Cela fait plus d'un mois qu'on ne s'est pas vues.

8. – Il m'a demandé .... où j'habitais.
   – **Innocent** ? Roger ? Méfie-toi de lui !

34. LES ADVERBES EN « -MENT »

Complétez en utilisant un adverbe en « -ment » dérivé de l'adjectif proposé :

1. C'est un excellent film, ... interprété par de jeunes acteurs inconnus du grand public. (brillant)

2. C'est un film .... drôle. (fou)

3. Il m'a répondu .... (agressif)

4. Je pensais .... qu'il n'y aurait pas de problème. (naïf)

5. Ce produit est vendu .... en pharmacie. (exclusif)

6. Il m'a dit .... que je ne devais pas m'occuper de ça. (sec)

7. J'ai trouvé cette émission .... intéressante. (prodigieux)

8. Parle .... ! Je ne suis pas sourd ! (doux)

9. Il a .... claqué la porte. (rageur)

10. ...., j'ai pensé que quelque chose n'allait pas. (inconscient)

35. LES ADVERBES EN « -MENT »

Remplacez l'expression en caractères gras par un adverbe en « -ment » :

1. Il était vêtu **avec correction**. ....

2. Il est parti **avec précipitation**. ....

3. Il a parlé **d'une voix distincte**. ....

4. Il m'a pris la main **avec tendresse**. ....

5. Il s'est adressé à moi **avec une grande amabilité**. ....

6. La soirée s'est déroulée **dans la joie**. ....

7. Le programme va être interrompu **pour un moment**. ....

8. Je l'ai pris dans le creux de ma main **avec délicatesse**. ....

9. Il a insisté **avec pesanteur** sur mon manque d'expérience. ....

10. Nous avons parlé **avec calme** pendant plus d'une heure. ....

11. **D'habitude**, je prends mon travail à 8 heures. ....

12. Il m'a parlé **avec gentillesse**. ....

36. LES ADVERBES EN « -MENT »

Remplacez l'expression en caractères gras par un adverbe en « -ment » :

1. Il m'a parlé **avec politesse**. ....

2. Il comprend **avec beaucoup de difficulté**. ....

3. Je lui ai répondu **avec beaucoup de franchise**. ....

4. Elle m'a salué **avec amitié**. ....

5. Elle a réagi **avec sagesse**. ....

6. **À la fin**, je l'ai raccompagnée chez elle. ....

7. Il s'est approché du bord **avec prudence**. ....

8. Il s'est jeté sur le repas **avec avidité**. ....

9. Le lion a rugi **avec férocité**. ....

10. Elle m'a regardé **avec haine**. ....

11. Elle m'a serré la main **avec cordialité**. ....

12. Il aime vivre **dans le danger**. ....

37. IMPÉRATIF + PRONOM

Complétez en utilisant le verbe en caractères gras à l'impératif et suivi d'un pronom :

1. – Tu veux **prendre** du gâteau ?

   – Non, merci !

   – Mais si ...., il est excellent.

2. – Vous allez **ouvrir** cette porte !

– Il n'en est pas question.

– .... ! C'est un ordre !

3. – Tu vas **faire** tes devoirs !

– Mais oui !

– .... tout de suite ou j'éteins la télé !

4. – Où est-ce que je **mets** les cadeaux ?

– .... sous le sapin !

5. – Je peux **aller** chez les voisins ?

– D'accord ! .... ! Mais ne rentre pas trop tard !

6. – Je peux **téléphoner** à Claudine ?

– D'accord, ..., mais pas trop longtemps. J'attends un coup de fil de ma mère.

7. – Où est-ce que je vous **conduis**, madame ?

– .... à la banque !

– Bien, madame.

8. – Vous voulez que je leur **montre** quels modèles ?

– .... les derniers modèles.

38. IMPÉRATIF + DOUBLE PRONOM

Complétez en utilisant le verbe en caractères gras à l'impératif et suivi d'un double pronom :

1. – Je t'**apporte** combien de sandwichs ?

– .... deux ! J'ai une faim de loup !

2. – Vous **avez envoyé** le carton d'invitation au maire de Neuilly ?

– Ah non, j'ai oublié !

– Alors .... tout de suite !

3. – Je ne suis pas d'accord, pour que tu **donnes** ce chèque à Louise.

– C'est moi qui décide, ... !

4. – Ils veulent que je leur **présente** notre directrice des ventes.

– Qu'est-ce que tu attends ? ....

5. – Désolé, messieurs, je ne peux pas vous **changer** vos billets de 100 dollars. Nous n'avons pas de détecteur de faux billets.

– Je vous en prie, ... Nous n'avons que des billets de 100 dollars !

6. – Est-ce que je peux **offrir** du champagne à nos clients saoudiens ?

– Ne....................................surtout pas ! Ils ne boivent pas d'alcool !

39. VERBE + PRONOM

Écoutez et trouvez la question :

1. ❑ Tu en veux plusieurs ?
   ❑ Tu en veux combien ?
   ❑ Tu le veux ou tu ne le veux pas ?

2. ❑ Tu as vu des problèmes ?
   ❑ Tu as vu les problèmes ?
   ❑ Tu les as vus ?

3. ❑ Vous m'avez envoyé les contrats ?
   ❑ Vous ne m'avez pas fait de propositions ?
   ❑ Est-ce que vous pouvez m'envoyer la fiche d'inscription et le programme du stage ?

4. ❑ Vous avez trouvé du travail ?
   ❑ Elles sont où, Gisèle et sa sœur ?
   ❑ Vous avez trouvé l'adresse de Monsieur Legrand ?

5. ❑ Vous avez déjà connu la peur ?
   ❑ Vous avez connu des moments de difficulté dans votre carrière ?
   ❑ Où est-ce que vous avez connu les Lemoine ?

6. ❑ Vous leur avez trouvé un restaurant sympa ?
   ❑ Vous lui avez trouvé un petit hôtel pas cher ?
   ❑ Vous lui avez donné votre adresse personnelle ?

40. LES PRONOMS

Complétez en utilisant un pronom :

1. – Il n'y a plus de café ?

   – Tu veux que je vous .... fasse ?

2. – Je ne peux pas terminer mon dessert.

   – Tu veux que je .... termine ?

3. – Ça fait longtemps que je n'ai pas vu les Normand.

   – Tu veux que je .... appelle ?

4. – Je n'ai pas assez de papier à lettres.

   – Je vais .... redemander à ma secrétaire.

5. – J'ai perdu mes clefs.

   – Cherche bien, tu vas sûrement .... retrouver.

6. – S'il vous plaît ! Nous n'avons plus de pain !

   – Excusez-moi, je vous .... apporte tout de suite.

7. – Vous arrivez à quelle heure à votre bureau ?

   – Je pense .... être vers 9 heures.

8. – Vous allez pouvoir terminer ça avant la nuit ?

   – Je pense que vais .... arriver !

41. LES PRONOMS (AVEC « PENSER » ET « CROIRE »)

Complétez en utilisant le pronom qui convient :

1. – On pourrait demander à Robert de nous aider !

   – Je n'................. avais pas pensé !

2. – C'est à Nelly que tu penses pour le poste de responsable de la communication ?

   – Non, je ne pensais pas .... pour ce poste.

3. – Qu'est ce que tu penses de Fernand ?

   – Je n'................. pense pas grand-chose. Je le connais à peine !

4. – Tu crois que ça va poser des problèmes ?

   – Non, je ne .... pense pas.

5. – Ça va André ?

   – Tu es toujours là ? Je .... croyais parti !

6. – Tu penses vraiment que ça va marcher ?

   – Je .... pense. Allume ! On va savoir ça tout de suite.

7. – Tu as cru à ce qu'il t'a raconté ?

   – Je n'................. ai pas cru un mot !

8. – Finalement, ça a fonctionné !

   – Je n'................. croyais pas.

9. – Ça vous a surpris, l'arrivée de Philippe Levasseur ?

   – Je n'................. croyais pas mes yeux !

10. – Tu le crois, quand il dit qu'il va devenir une vedette ?

   – Je ne .... crois pas. Il est un peu mythomane.

42. LES PRONOMS

Récrivez les phrases suivantes en employant l'impératif et le pronom qui convient :

Exemple : Il faut que tu refasses ce travail avant lundi.
            Refais-le avant lundi.

1. Je te conseille de lire ce livre.

....

2. Pourquoi est-ce que tu n'écoutes pas ton professeur ?

....

3. À mon avis, il vaut mieux annuler cette rencontre.

....

4. Il vaut mieux prendre votre parapluie pour sortir.

....

5. Tu vas trop vite ! Je te demande d'attendre ton frère et tes cousins.

....

6. Il faut recommencer tous les exercices.

....

7. Tu ne peux pas garer la voiture devant le magasin ?

....

8. Vous ne pouvez pas poster ces lettres, s'il vous plaît ?

....

9. Tu sais, tu peux reprendre du gâteau.

....

10. Tu devrais aller chez le médecin tout de suite.

....

11. Il faut répondre au percepteur avant quarante-huit heures.

....

43. LES PRONOMS

Complétez la phrase avec le pronom qui convient :

1. Écoute, je n'ai pas le temps de répondre aux Germain. Écris-.................., toi !

2. Puisque tu es allé chercher des pommes, épluche-..................

3. S'il te plaît, essuie la vaisselle et range-.................. dans le buffet de la cuisine.

4. Si tu as terminé ton rapport, envoie-.................. à la direction avant la fin de la semaine.

5. Si tu veux encore des raviolis, prends-..................

6. Mets un timbre sur l'enveloppe et poste-.................. avant six heures.

7. Je vous prête ma voiture, mais s'il vous plaît, ne .... abîmez pas !

8. Ces gravures vous plaisent ? Prenez- .... deux ou trois : je vous les offre avec plaisir.

9. Prenez ce dossier et remplissez-..................

10. Tiens, voilà le numéro d'André Tavernier : téléphone-.................. tout de suite.

44. LES PRONOMS

Récrivez les phrases suivantes en employant l'impératif et les pronoms qui conviennent :

Exemple : Tu devrais parler de ce problème à Renée.
           Parle-lui-en.

1. Tu veux bien donner ces clefs au concierge ?

....

2. Il n'y a pas de problème : tu peux me laisser ta voiture.

....

3. Tu veux bien nous acheter des chocolats ?

....

4. Je te conseille d'envoyer ta déclaration d'impôts au percepteur.

....

5. Tu devrais offrir ce livre à Émilie.

....

6. Alain, montre ton album de photos à nos amis !

....

7. Grand-père, tu veux nous raconter l'histoire du Petit Chaperon Rouge ?

....

8. Est-ce que tu peux nous prendre un pain ?

....

45. LES PRONOMS

Complétez les phrases avec les deux pronoms qui conviennent :

Exemple : Le petit Antoine attend son cadeau d'anniversaire. Donne- .... maintenant.
        Le petit Antoine attend son cadeau d'anniversaire. Donne-le-lui maintenant.

1. Nous avons absolument besoin des documents douaniers : envoyez- .... le plus vite possible.

2. Ces livres m'appartiennent : rends- ....

3. Si tu n'as plus besoin du cours d'histoire de Jean-Pierre, alors redonne- ....

4. Puisque vous avez deux pulls et que je n'en ai pas, prêtez- .... un, s'il vous plaît : j'ai froid.

5. Jean et Françoise ont oublié leurs clefs sur la table du salon : envoie- .... par la fenêtre.

6. Je n'ai plus de cigarettes. Passe- .... un paquet jusqu'à demain.

7. Georges, nos clients allemands souhaitent une réponse rapide. Faxez- .... immédiatement

8. J'ai laissé ma serviette dans ta voiture. Apporte- .... demain en venant à la fac.

9. Nous n'avons pas évoqué la question du salaire de Lucette. Si tu la vois ce soir, parle- .... !

10. Vous avez un ordinateur avec un modem : servez- .... !

46. VOCABULAIRE : NE PARLEZ PAS « FRANGLAIS » !

Reformulez les phrases suivantes en remplaçant les mots anglais par une expression française :

1. Est-ce qu'il y a un **parking** gratuit près d'ici ?

....

2. Tu peux me prêter ton **walkman** ?

....

3. Le **coach** de l'équipe de France est venu donner quelques conseils aux joueurs.

....

4. Le **warm up** vient de se terminer. Les pilotes prennent leur place. Je vous rappelle que c'est Jean Alesi qui est en **pole position**.

....

5. Le **leader** de l'opposition a violemment critiqué la politique du gouvernement.

....

6. Ce soir, sur la Une, ne manquez pas le nouveau **show** de Patrick Sébastier.

....

7. Allume la télé, je voudrais écouter les **news**.

....

8. Je vais passer le **week-end** en Ardèche.

....

9. Le vainqueur du Tour d'Italie nous a accordé une **interview**.

....

10. Je cherche un **job**.

....

(baladeur / chef / emploi / entraîneur / entrevue / fin de semaine / informations / parc de stationnement / première position / spectacle / tour de chauffe)

47. VOCABULAIRE : NE PARLEZ PAS « FRANGLAIS » !

Reformulez les phrases suivantes en remplaçant les mots anglais par une expression française :

1. L'arbitre vient d'accorder un **penalty** à l'équipe d'Italie.

....

2. Le président de la République vous invite à une **garden-party** qui, comme tous les 14 juillet, aura lieu dans les jardins de l'Élysée.

....

3. Je vous propose maintenant une petite séance de **brain-storming**.

....

4. Nous allons commencer la réunion, car aujourd'hui, j'ai un **timing** très chargé.

....

5. Je vais participer à un **raid** dans l'Himalaya.

....

6. C'est une **star** de la télévision.

....

7. Est-ce que je peux payer avec un **traveler's check** ?

....

8. Est-ce que vous avez quelques adresses de **touroperators** ? Je compte partir au Kenya.

....

9. Il a perdu son **self-control**.

....

10. Vous pouvez me l'envoyer par **e-mail**.

....

(chèque de voyage / courrier électronique / emploi du temps / expédition / réception / remue-méninges / sang-froid / tir au but / vedette / voyagiste)

48. VOCABULAIRE : NE PARLEZ PAS « FRANGLAIS » !

Reformulez les phrases suivantes en remplaçant les mots anglais par une expression française :

1. J'ai le **spleen** de mon pays.

....

2. Essayez notre gamme de produits **lights**.

....

3. Est-ce que ta montre est **waterproof** ?

....

4. Pour Noël, mon fils veut que je lui offre un **skate-board**.

....

5. Le **baby-sitting** c'est surtout un **job** d'étudiants

....

6. Je peux vous aider à pousser votre **caddie** ?

....

7. Je suis un peu **stressé** en ce moment.

....

8. Dans ses films, il utilise beaucoup la technique du **flash-back**.

....

9. Je lui ai offert un **drink**.

....

10. Il est complètement **speedé**.

....

(étanche / excité / la nostalgie / allégé / verre / retour en arrière / chariot / une planche à roulettes / la garde d'enfant / travail / tendu)

Unité 3

Raconter

49. IMPARFAIT / PASSÉ COMPOSÉ

Dites si le verbe ou l'expression en caractères gras évoque un événement ou une situation :

	événement	situation
1. Quand il m'a téléphoné, je **travaillais**.		
2. Quand je **suis arrivé** en France, je ne parlais pas un mot de français.		
3. J'étais sous la douche quand le téléphone **a sonné**.		
4. Je suis allé chez Christine ce week-end. Elle **était contente** de me voir.		
5. Je n'ai pas pu venir, **j'avais la grippe**.		
6. Quand elle m'a vu, **elle m'a souri**.		
7. Quand je t'ai connu, **tu n'étais** vraiment **pas bien**.		
8. Il est entré et **il est ressorti** tout de suite après.		
9. Comme **il pleuvait,** nous avons annulé l'excursion.		
10. Tiens, j'ai rencontré Charlotte hier. Elle **était** en pleine forme.		

50. ACCORD DU PARTICIPE PASSÉ

Dites si le pronom en caractères gras représente un homme ou une femme :

	homme	femme
1. Je ne **l'**ai pas vue depuis longtemps.		
2. Je **l'**ai connue à Acapulco.		
3. Je ne **t'**ai pas entendu entrer.		
4. Je ne **vous** avais pas reconnue !		
5. Il ne **m'**a pas salué.		
6. Il **m'**a embrassée.		
7. Je **l'**ai perdue de vue.		
8. Je **vous** ai tout à fait comprise.		
9. Je **l'**ai rencontré dans la rue.		
10. Je **vous** ai déjà rencontrée quelque part...		

51. ACCORD DU PARTICIPE PASSÉ

Dites si le pronom en caractères gras représente un homme, une femme ou si on ne peut pas savoir :

	homme	femme	?
1. Il ne **m**'a pas répondu.			
2. Elle **m**'a émue.			
3. Je ne **vous** ai pas serré la main.			
4. Je **l**'ai serrée dans mes bras.			
5. Je **vous** ai laissé tout seul !			
6. Il ne **vous** a pas offert un verre !			
7. Je ne **vous** ai pas demandé votre avis !			
8. Je **vous** ai prise pour quelqu'un d'autre.			
9. Elle **m**'a surprise en pleine conversation avec Daniel.			
10. J'espère que je ne **vous** ai pas dérangée.			

52. ACCORD DU PARTICIPE PASSÉ

Dites si le verbe en caractères gras se construit avec la préposition « à » ou sans préposition :

	verbe (infinitif)	avec préposition (à)	sans préposition
1. Je vous ai **comprises** !			
2. Elle ne m'a pas **répondu**.			
3. Je ne vous ai pas **crue**.			
4. Il m'a **téléphoné** vers 10 heures.			
5. Je vous ai **cherchée** toute la journée !			
6. Je les ai **vus** en sortant.			
7. Je vous ai **appelée** 3 fois ce matin !			
8. Je l'ai tout de suite **appréciée**.			
9. Je ne vous avais jamais **expliqué** ce problème.			
10. Je les ai **croisées** ce matin dans l'ascenseur.			

53. ACCORD DU PARTICIPE PASSÉ

Dites si le pronom en caractères gras représente un homme, une femme ou si on ne peut pas savoir :

	homme	femme	?
1. Pourquoi est-ce que tu ne **m**'as pas attendue ?			
2. On **l**'a reçu comme un prince !			
3. Je **t**'ai parlé quelques minutes seulement.			

homme	femme	?

4. Nous **l**'avons connue pendant les vacances.

5. Cette nouvelle **m**'a bouleversée.

6. Est-ce que l'administration **lui** a adressé une lettre recommandée ?

7. Son coup de téléphone **m**'a inquiété.

8. On **m**'a promis une réponse avant huit jours.

9. Elles ne **m**'ont pas répondu.

10. Elle **vous** a regardé d'une drôle de façon.

54. ACCORD DU PARTICIPE PASSÉ

Mettez le verbe indiqué au passé composé en respectant l'accord du participe passé :

1. – Où sont passées tes amies ?
   – Je les .... chez elles tout à l'heure. (accompagner)

2. – Tu les .... ? (voir)
   – Oui, j'ai pris un café avec elles ce matin.

3. – Il y a Pierre et Richard qui veulent te voir.
   – Cela tombe bien, je les .... toute la journée. (chercher)

4. – Elle va bien, ta voisine ?
   – Ce n'est plus ma voisine. Je l'............................... à déménager ce week-end. (aider)

5. Il y a Géraldine qui cherche du travail. Je l' .... chez mon frère. Il cherche une secrétaire. (envoyer)

6. Tu te souviens de Nelly ? Et bien, je l'............................... ce matin en sortant de chez moi. (rencontrer)

7. Qu'est-ce qu'ils ont tes parents ? Je ne les .... pas .... en forme. (trouver)

8. Excuse-moi, Jean-Claude, je ne t'............... pas .... (saluer)

9. Monsieur Lefort ? Votre femme vous .... plusieurs fois ce matin. (appeler)

10. Vous n'avez pas vu mes clefs ? Je crois bien que je les .... (perdre)

55. ACCORD DU PARTICIPE PASSÉ

Complétez en utilisant le participe passé qui convient :

1. Je lui ai .... ce matin dans le métro. (vue / parlé / rencontré)

2. Je lui ai .... du travail. (trouvé / donnée / proposée)

3. Josette, je l'ai .... à l'université, quand nous étions étudiants. (rencontré / connue / parlée)

4. Cette victoire, nous l'avons bien .... (méritée / gagné / assuré)

5. Le directeur m'a .... un poste pour la rentrée. (garantie / promis / obtenue)

6. Nous leur avons .... de partir plus tôt. (permis / autorisés / laissé)

7. Son mari l'a .... aux États-Unis. (suivi / accompagnée / succédé)

8. Jeannette ? Je l'ai .... à la gare. (emmené / quitté / conduite)

56. ACCORD DU PARTICIPE PASSÉ

Reformulez les phrases suivantes en remplaçant le pronom en caractères gras par « Betty » :

1. Je **lui** ai téléphoné ce matin.

....

2. Vous **l'**avez vue ?

....

3. Je **l'**ai cherchée partout !

....

4. Elle **lui** a donné ton adresse.

....

5. Je **lui** ai parlé de ton projet.

....

6. Je **lui** ai conseillé de prendre quelques jours de repos.

....

7. On **l'**a nommée responsable de la communication.

....

8. Tu **l'**as appelée ?

....

9. Je **lui** ai dit que j'avais envie de la revoir.

....

10. Je **lui** ai donné rendez-vous à 10 heures.

....

57. ACCORD DU PARTICIPE PASSÉ

Remplacez la (les) personne(s) en caractères gras par un pronom :

1. J'ai trouvé **Claudine** très préoccupée.

....

2. Nous avons employé **Madame Simon** pendant 10 ans.

....

3. J'ai appelé **tes parents** pour les remercier de leur hospitalité.

....

4. J'ai entendu chanter **Gilles** et **Annie**. Cela m'a beaucoup plu.

....

5. J'ai aidé **mes filles** à repeindre leur appartement.

....

6. J'ai félicité **ta copine** pour son examen.

....

7. J'ai trouvé **tes sœurs** très sympas.

....

8. J'ai accompagné **mes étudiantes** à Paris.

....

58. ACCORD DU PARTICIPE PASSÉ

Remplacez la (les) personne(s) en caractères gras par un pronom :

1. Qu'est-ce que tu as répondu à **Simone** ?

....

2. Tu as conduit **Anita** à la gare ?

....

3. Vous avez écrit à **Mademoiselle Legrand** ?

....

4. J'ai aperçu **tes nièces** hier soir au concert.

....

5. J'ai croisé **ta femme** rue du Four.

....

6. J'ai demandé à **Jean-Pierre** de m'aider.

....

7. J'ai enfin pu parler à **Monsieur Legros** !

....

8. Tu as laissé **ta sœur** toute seule !

....

59. ACCORD DU PARTICIPE PASSÉ

Écoutez et dites si on parle d'un homme ou d'une femme ou si l'on ne peut pas savoir :

homme	femme	?		homme	femme	?
1.				6.		
2.				7.		
3.				8.		
4.				9.		
5.				10.		

60. ACCORD DU PARTICIPE PASSÉ

Remplacez « Marc » par « Brigitte » :

1. Marc et sa sœur sont passés à la maison.

....

2. Marc et sa mère sont nés le même jour, un 19 juillet.

....

3. Marc ? Il y a des années que je ne l'ai pas vu.

....

4. Marc et Danièle ? Ils se sont rencontrés à la faculté des lettres.

....

5. Tu connais Andrée ? Eh bien, elle et Marc se sont téléphoné pendant des heures hier soir.

....

6. Marc ? C'est le garçon qui s'est assis à ma table à midi.

....

7. Tu sais que Marc et Annie se sont disputés toute la soirée ?

....

8. Marc et Catherine ? Je te les ai présentés à la soirée chez Ferdinand.

....

61. ACCORD DU PARTICIPE PASSÉ : LES VERBES PRONOMINAUX

Complétez en mettant les verbes entre parenthèses au passé composé :

1. Ils .... de rentrer avant la pluie. (se dépêcher)
2. Elles .... par hasard. (se rencontrer)
3. Ils .... à la mairie d'un petit village. (se marier)
4. À quelle heure est-ce que vous ...., Simone ? (se lever)
5. Les enfants ! Est-ce que vous .... les dents ? (se laver)
6. Ils ne .... pas .... depuis longtemps. (se voir)
7. Ils .... tout de suite. (se plaire)
8. Henri et moi, nous .... à 5 heures du matin. (se réveiller)
9. Elles .... de vue. (se perdre)
10. Ma femme et moi, nous .... il y a plus d'un an. (se séparer)

62. LE PLUS-QUE-PARFAIT

Complétez en utilisant le plus-que-parfait :

1. Quand je suis arrivé, ils .... déjà .... de manger. (finir)

2. Nous .... plusieurs années auparavant, à l'occasion d'une fête. (se rencontrer)

3. Je n'................................ pas .... que je devrais le faire moi-même. (comprendre)

4. Vous ne m'................................ pas .... qu'il fallait envoyer la lettre à son adresse personnelle ! (dire)

5. Je vous ...., mais vous n'avez pas voulu m'écouter. (prévenir)

6. Je n'................................ pas .... qu'il y aurait autant de monde. (prévoir)

7. Où est passé le dossier Lambert ? Je l'................................ sur mon bureau ! (laisser)

8. Il m'a expliqué pourquoi il n' .... pas .... venir. (pouvoir)

9. Je croyais que nous .... un accord. (conclure)

10. Il m'a demandé si nous .... de bonnes vacances. (passer)

63. LE SENS DU PLUS-QUE-PARFAIT

Dites quel est le sens des phrases suivantes :

1. Vous ne m'aviez pas dit que Paul serait là !
   reproche ❑   excuse ❑   remerciement ❑

2. Désolé, mais je ne vous avais pas reconnue !
   reproche ❑   étonnement ❑   excuse ❑

3. J'avais tout prévu, sauf la pluie.
   regret ❑   reproche ❑   étonnement ❑

4. Je vous avais pourtant prévenu que c'était un escroc !
   remerciement ❑   excuse ❑   reproche ❑

5. Tu m'avais bien dit que tu connaissais un bon garagiste ?
   vérification ❑   remerciement ❑   excuse ❑

6. Je t'avais dit de ne pas me téléphoner avant midi !
   vérification ❑   reproche ❑   explication ❑

7. Il est revenu une heure plus tard. Il avait oublié ses clefs.
   explication ❑ remerciement ❑ vérification ❑

8. Tu m'avais bien dit qu'après la pharmacie, il fallait tourner à gauche ?
   reproche ❑   explication ❑   vérification ❑

64. L'ANTÉRIORITÉ

Dites dans quel ordre chronologique (1, 2, 3) ont lieu les événements évoqués :

1. Comment j'ai surpris le cambrioleur ? Par hasard. J'avais oublié un dossier. J'ai dû retourner au bureau.

   surprendre un cambrioleur   ❑
   oublier un dossier   ❑
   retourner au bureau   ❑

2. Avant de poser le papier, il faut repeindre le plafond. Ensuite vous pourrez poser la moquette.

   poser le papier   ❑
   poser la moquette   ❑
   repeindre le plafond   ❑

3. Pour photocopier le document, il faut le placer sous le capot de la machine et appuyer ensuite sur le bouton de mise en route. Mais il faut d'abord sélectionner le format et le contraste.

appuyer sur le bouton de mise en route ❑
sélectionner le format et le contraste ❑
placer le document sous le capot de la machine ❑

4. Jean-Louis a commencé sa carrière en France. Puis, il s'est installé en Finlande, après avoir séjourné au Nigeria.

séjour au Nigeria ❑
début de carrière en France ❑
installation en Finlande ❑

5. J'avais décidé de faire un grand voyage. Alors j'ai vendu ma maison avant d'acheter un bateau.

vendre la maison ❑
acheter le bateau ❑
décider de voyager ❑

6. Avant de vous déporter sur la voie de gauche, mettez votre clignotant, après avoir regardé dans le rétroviseur.

regarder dans le rétroviseur ❑
se déporter sur la voie de gauche ❑
mettre le clignotant ❑

7. Ne quittez pas les lieux avant d'avoir vérifié le bon fonctionnement des machines et enclenché le système de sécurité.

vérifier le fonctionnement des machines ❑
enclencher le système de sécurité ❑
quitter les lieux ❑

8. Faites la queue pour vous servir. Mais auparavant, il faut donner votre ticket et prendre un plateau.

prendre un plateau ❑
donner un ticket ❑
faire la queue ❑

65. LE FUTUR ANTÉRIEUR

Complétez en utilisant le futur antérieur :

1. Quand tu .... le journal, tu pourras me le passer ? (terminer)

2. Nous .... avant demain. (finir)

3. On verra ça quand ils .... (rentrer)

4. Je reviendrai quand il .... (se calmer)

5. Quand vous .... le plein, vous pourrez vérifier la pression des pneus ? (faire)

6. Je ne pense pas qu'il .... faire ça tout seul. (pouvoir)

7. J'espère qu'ils .... que c'est urgent. (comprendre)

8. Quand vous .... votre café, passez me voir à mon bureau. (boire)

9. Je vous téléphone dès que j'.. (déménager)

10. Je ne partirai pas d'ici tant que vous ne m'........................... pas .... (répondre)

📼 66. ANTÉRIORITÉ / POSTÉRIORITÉ

Écoutez et dites si le moment évoqué est antérieur ou postérieur :

		plus de	moins de
1.	15 ans		
2.	22 h		
3.	20 ans		
4.	18 ans		
5.	20 h		
6.	1 heure		
7.	1 semaine		
8.	24 h		
9.	18 ans		
10.	15 h		

67. « AVANT DE » / « APRÈS » + INFINITIF

Complétez en utilisant « avant de » ou « après » :

1. Il faut prendre deux comprimé de Xoril .... se coucher.

2. J'aime bien lire un peu .... dormir.

3. .... avoir franchi sans difficulté 2,10 m, il va tenter de franchir 2,20 m.

4. Il ne faudra pas oublier de couper l'électricité .... partir.

5. .... avoir réussi brillamment le concours d'HEC, il a rencontré Josette et s'est marié.

6. .... avoir gardé la tête de la course pendant plus d'une heure, il se retrouve maintenant en deuxième position.

7. .... partir, n'oubliez pas de vérifier le niveau d'huile.

8. .... avoir longuement réfléchi, j'ai pris la décision suivante …

68. « AVANT DE » / « APRÈS » + INFINITIF

Complétez en utilisant le verbe proposé :

1. Après .... plusieurs fois, il a enfin trouvé la bonne formule. (se tromper)

2. Je ne sortirai pas d'ici avant d'............................... Monsieur Legrand. (voir)

3. Avant de .... à Lyon, j'habitais en Lorraine. (travailler)

4. Après ....plusieurs fois d'orientation, il a finalement poursuivi des études littéraires. (changer)

5. Ne partez pas avant d'................................ tout .... (vérifier)

6. Après .... le Prix Fémina, elle vient de publier son deuxième roman. (remporter)

7. Après .... de longues années en Allemagne, il a émigré aux USA. (vivre)

8. J'ai encore quelques semaines de travail avant .... ma thèse. (terminer)

69. PASSÉ PROCHE / FUTUR PROCHE

Écoutez et dites si l'événement évoqué est proche ou lointain, précisez s'il concerne le passé ou le futur :

	proche	lointain	passé	futur
1.				
2				
3				
4				
5				

	proche	lointain	passé	futur
6				
7.				
8				
9.				
10.				

70. PROXIMITÉ DANS LE TEMPS

Choisissez l'expression la plus proche dans le temps :

1. Allez vous asseoir dans la salle d'attente. Le docteur arrive ....
   (tout de suite / dans la journée / dans un moment)

2. Maintenant je dois vous quitter. On se revoit ....
   (un de ces jours / bientôt / Dieu sait quand)

3. Il était là .... (il y a un instant / ce matin / il y a une seconde)

4. Je ne l'ai pas vu depuis .... (une éternité / quelques jours / ce matin)

5. Dépêchez-vous ! Votre train ....
   (va partir / est en train de partir / part dans moins d'une minute)

6. Vous allez devoir patienter .... M. Leveau est occupé.
   (quelques instants / un petit quart d'heure / une petite minute)

7. Votre déménagement aura lieu ....
   (dans quelques jours / dans une dizaine de jours / après-demain)

8. Je l'ai rencontrée .... (il y a peu de temps / tout à l'heure / avant-hier)

71. ÉLOIGNEMENT DANS LE TEMPS

Choisissez l'expression la plus lointaine dans le temps :

1. Il y a .... que je n'ai pas pris de vacances.
   (des années / des mois / une éternité)

2. Enchanté d'avoir fait votre connaissance. J'espère vous revoir ....
   (d'ici peu / rapidement / un de ces jours)

3. C'est un projet que j'espère réaliser dans un avenir ....
(lointain / proche / indéterminé)

4. L'autoroute est en travaux depuis .... (longtemps / un bail / un moment)

5. J'ai eu de vos nouvelles .... par un ami commun, monsieur Gambu.
(récemment / il y a quelque temps déjà / il y a peu de temps)

6. ...., on s'éclairait à la lampe à pétrole. (Jadis / Naguère / Avant)

7. Je vous ai envoyé une lettre .... (hier soir / dernièrement / ce matin)

8. Nous nous verrons ...., cher ami.
(dans quelque temps / l'année prochaine / très prochainement)

72. ADJECTIFS EXPRIMANT UNE DURÉE

Choisissez l'expression temporelle exprimant la durée la plus courte ou le moment le plus proche :

1. Demain, la météo annonce une amélioration .... du temps.
(passagère / durable / stable)

2. Le temps pour demain : malgré de .... apparitions du soleil, c'est la pluie qui dominera sur la moitié nord du pays. (larges / brèves / belles)

3. Il a fait un discours .... (interminable / concis / fleuve)

4. Excusez-moi pour .... retard. (ce léger / ce gros / cet énorme)

5. Il s'agit là de prévisions à .... terme. (long / moyen / court)

6. Votre enfant a fait des progrès .... (rapides / fulgurants / réguliers)

7. La décision du gouvernement est .... (imminente / proche / différée)

8. Cécile attend .... un heureux événement.
(pour bientôt / dans les jours qui viennent / dans trois mois)

9. La réunion est ....
(reportée à une date ultérieure / annulée / légèrement retardée)

10. Ayant appris la nouvelle, il est parti ....
(dans les 48 heures / quelques temps plus tard / sur le champ)

73. EXPRESSION DE LA DURÉE

Écoutez et dites si la durée exprimée est courte ou longue :

enr.	durée courte	durée longue
1.		
2.		
3.		
4.		
5.		
6.		

enr.	durée courte	durée longue
7.		
8.		
9.		
10.		
11.		
12.		

74. VOCABULAIRE : LES COULEURS

Complétez en utilisant l'une des couleurs suivantes :
vert - bleu - noir - rouge - blanc - gris

1. Malgré son âge, il est toujours .... : tous les matins, il fait son footing.

2. C'est un .... , c'est la première fois qu'il saute en parachute.

3. Un petit .... s'il vous plaît ! Sans sucre et avec deux croissants !

4. Mon compte en banque est dans le .... : Je suis à moins 8000 francs.

5. Faites ce que vous voulez ! Vous avez carte .... !

6. J'ai vu .... ; pourtant, tu me connais, je ne me mets pas souvent en colère.

7. Tous les indicateurs économiques sont au .... : l'année 98 devrait être celle de la reprise.

8. Je vais me mettre quelques jours au .... J'ai loué une petite maison à la campagne.

9. Il m'a fait une peur .... !

10. Je viens de passer une nuit .... Je n'ai pas dormi !

11. Hier soir, chez Marc et Brigitte, j'étais un petit peu .... Je ne supporte pas les alcools forts.

12. C'est un excellent jardinier. Il a la main ....

13. Il était .... de peur.

14. J'étais .... de honte.

Unité 4

Proposer, accepter, refuser

75. LE CONDITIONNEL

Écoutez et dites si c'est le conditionnel ou le futur que vous avez entendu :

	conditionnel	futur			conditionnel	futur
1.				6.		
2.				7.		
3.				8.		
4.				9.		
5.				10.		

76. LE CONDITIONNEL

Mettez le verbe entre parenthèses au conditionnel :

1. Je .... t'inviter à mon anniversaire. (vouloir)

2. Vous .... peut-être y aller par le train. (pouvoir)

3. Est-ce que vous .... d'un rafraîchissement ? (avoir envie)

4. Ce .... sympa si tu venais. (être)

5. Ça me .... de travailler avec vous. (faire plaisir)

6. Ils .... obtenir quelques explications. (aimer)

7. Je .... aller dans un endroit calme. (préférer)

8. Vous .... faire attention. La route est glissante. (devoir)

9. Nous .... vous parler. (souhaiter)

10. Est-ce que vous .... où je peux rencontrer Jacqueline Alexandre ? (savoir)

77. FAIRE UNE PROPOSITION

Écoutez et dites s'il s'agit ou non d'une proposition :

	proposition	autre chose			proposition	autre chose
1.				6.		
2.				7.		
3.				8.		
4.				9.		
5.				10.		

78. FAIRE UNE PROPOSITION

Complétez de façon à ce que chaque phrase corresponde à une proposition :

1. Si on .... à la Toque d'Or ? C'est à deux pas d'ici. (va / allait / irait)

2. Tu n'aurais pas .... rester au lit jusqu'à midi ? (envie de / dû / pu)

3. Vous n'auriez pas .... par hasard ? (vu André / une petite faim / du feu)

4. Ça vous .... de passer un soir à la maison ? (plairait / plaît / plaira)

5. Vous .... lui dire bonjour de ma part. (devriez / pourriez / devez)

6. Si on .... passer la journée au bord de l'eau ? J'ai deux cannes à pêche dans la voiture. (va / irait / allait)

7. On .... se donner rendez-vous demain, à 10 h 30, ici. (doit / pourrait / va)

8. Vous .... visiter ma maison, à la campagne ? (devez / aimeriez / aimerez)

79. FAIRE UNE PROPOSITION

Écoutez et identifiez l'intention de communication (proposition, demande, reproche, conseil) :

	proposition	demande	reproche	conseil
1.				
2.				
3.				
4.				
5.				
6.				
7.				
8.				
9.				
10.				

80. FAIRE UNE PROPOSITION

Formulez une proposition en utilisant l'expression proposée :

Exemple : faire une petite sieste. (dire)
      Ça te dirait de faire une petite sieste ?

1. Faire du lèche-vitrines. (plaire)

....

2. Inviter les voisins à dîner. (Si on …)

....

3. Une balade à vélo. (avoir envie)

....

4. Rentrer à la maison. (Si on …)

....

5. Faire un tour à la fête foraine. (dire)

....

6. Faire une petite pause. (Si on …)

....

7. Voir un bon film. (plaire)

....

8. Un petit repas en amoureux. (avoir envie)

....

📼 81. FAIRE UNE PROPOSITION EN UTILISANT OU NON LE CONDITIONNEL

Écoutez, identifiez l'objet de la proposition et dites si c'est le conditionnel qui a été utilisé :

proposition	dialogue n°	conditionnel
faire du vélo		
parler de projets		
passer Noël en Grèce		
souhaiter bon anniversaire		
aller au lit		
aller chez des amis		
aller dehors		
aller au restaurant		
prendre un instant de repos		
boire un verre		

📼 82. ACCEPTER / REFUSER

Écoutez, identifiez l'objet de la proposition et dites si la proposition a été acceptée ou refusée :

	proposition	acceptée	refusée
1.			
2.			
3.			
4.			
5.			
6.			
7.			
8.			

🔊 83. ACCEPTER / REFUSER

Écoutez et choisissez la réponse qui exprime un refus :

1. C'est déjà moi qui l'ai mise à midi !   ❑
   C'est déjà fait depuis longtemps !   ❑
   Si ça peut te faire plaisir…   ❑

2. Mais il est à peine 9 heures !   ❑
   On y va dans 2 minutes.   ❑
   Tu viendras nous raconter une histoire ?   ❑

3. Mais pas trop longtemps, je suis un peu fatiguée.   ❑
   Une autre fois, Bernard, je meurs de fatigue.   ❑
   Est-ce bien raisonnable ? Il se fait tard.   ❑

4. Attrape !   ❑
   Je ne suis pas ta bonne !   ❑
   Attends, je vais te l'allumer.   ❑

5. Rendez-vous dans mon bureau dans 10 minutes. C'est à quel sujet ?   ❑
   Je vous préviens que j'ai un rendez-vous dans 10 minutes.   ❑
   Je ne reçois que sur rendez-vous.   ❑

6. Je n'ai pas l'intention de changer de voiture pour l'instant, mais si vous insistez…   ❑
   Je n'ai pas de temps à perdre.   ❑
   Ne perdons pas de temps, je prends le volant !   ❑

🔊 84. ACCEPTER / REFUSER

Écoutez et choisissez le refus le plus catégorique :

1. Elle ne danse pas avec les inconnus.   ❑
   On se connaît ?   ❑
   Ça, il faut le lui demander…   ❑

2. Tu n'as qu'à travailler !   ❑
   Désolé, je n'ai pas de monnaie.   ❑
   Je regrette, mais c'est la troisième fois qu'on me demande de l'argent en moins de 5 minutes.   ❑

3. Mais maman, j'en ai déjà pris deux fois !   ❑
   Écoute, je t'ai déjà dit trois fois que je n'avais plus faim !   ❑
   Non, merci, je n'en peux plus.   ❑

4. Je n'ai pas trop envie. Et puis il va pleuvoir.   ❑
   Pas question ! Il y a un match de foot à la télé.   ❑
   Je suis fatigué. Gérard ! Accompagne ta mère !   ❑

5. Paris-Nice en voiture le week-end du 15 août ? C'est de la folie !   ❑
   Je n'ai pas envie de passer des heures dans les embouteillages !   ❑
   Ça va pas la tête ! Pour le 15 août ! Tu es complètement folle ! Tu ne me feras pas bouger d'ici.   ❑

6. Eh bien, trouvez-en une autre !   ❑
   Et alors ?   ❑
   Regardez ! Il y a d'autres places libres.   ❑

85. ACCEPTER / REFUSER

Mettez en relation les demandes de la colonne 1 et les accords ou refus de la colonne 2 :

1. J'aurais besoin d'une fiche d'inscription.

2. On pourrait se revoir d'ici la fin de la semaine ?

3. Si vous voulez, je peux vous raccompagner.

4. Tu peux éteindre la télé ?

5. Tu peux me déposer à la gare ?

6. Vous auriez une table pour deux personnes ?

7. Vous écrivez «lu et approuvé» et vous signez ici !

8. Vous pourriez attendre votre tour ? J'étais là avant vous.

A. Désolé Monsieur, le restaurant est complet !

B. Oh non, c'est l'heure de Dallas !

C. Je vais d'abord relire le contrat.

D. C'est gentil, mais je vous préviens, ça va vous faire un petit détour.

E. Bon, je vais devoir faire le chauffeur de taxi.

F. Je suis vraiment très prise en ce moment.

G. J'en ai pour une petite minute, c'est juste pour un renseignement.

H. Faites la queue comme tout le monde !

86. VOCABULAIRE : LE CORPS HUMAIN

Écoutez les enregistrements et identifiez la partie du corps évoquée, puis déterminez le sens de l'expression entendue :

	enr.
cheveu	
cœur	
doigt	
dos	
genou	
jambe	
langue	
main	
nez	
œil	
pouce	

sens des expressions	enr.
Il a trop bu.	
J'en ai assez.	
Il est très généreux.	
Il zozote.	
Je l'ai demandée en mariage.	

sens des expressions	enr.
Je m'en fiche.	
Je suis épuisé.	
Je vous surveille.	
Stop ! J'arrête !	
Vous prenez l'apéritif ?	

87. VOCABULAIRE : LE CORPS HUMAIN (LA MAIN)

Dites quel est le sens de chaque phrase :

1. Bernard m'a donné un coup de main.
   - ❏ Bernard m'a aidé.
   - ❏ Bernard m'a tapé.
   - ❏ Bernard m'a caressé.

2. J'ai mis la main à la pâte.
   - ❏ J'ai fait un gâteau.
   - ❏ J'ai participé au travail.
   - ❏ Je me suis sali les mains.

3. J'en mettrais ma main au feu.
   - ❏ Je me suis brûlé.
   - ❏ J'ai chaud.
   - ❏ J'en suis sûr.

4. Je préfère que vous me remettiez ça en mains propres.
   - ❏ Lavez-vous les mains !
   - ❏ Vous devez me donner ça personnellement.
   - ❏ Vous n'êtes pas très poli avec moi !

5. J'ai perdu la main.
   - ❏ Je n'ai plus l'habitude.
   - ❏ Je suis manchot.
   - ❏ J'ai oublié.

6. Nous travaillons la main dans la main.
   - ❏ Nous nous aimons.
   - ❏ Nous collaborons très bien.
   - ❏ Nous sommes très proches.

88. VOCABULAIRE : LE CORPS HUMAIN (LA MAIN)

Mettez en relation les phrases qui ont le même sens :

1. Cette fille, elle a un petit poil dans la main !
2. Elle a la situation bien en main.
3. Elle a le cœur sur la main.
4. Elle m'a accordé sa main.
5. Elle n'est pas de première main.
6. Elle n'y est pas allée de main morte !
7. Haut les mains !
8. Heureusement qu'elle m'a prêté main forte.
9. Je n'ai rien sous la main.
10. Tu as eu la main lourde !

A. Elle a déjà servi.
B. Elle accepte d'être ma femme.
C. Elle contrôle tout.
D. Elle est paresseuse.
E. Elle est très généreuse.
F. Elle m'a aidé.
G. Elle n'a pas pris de précautions.
H. Je n'ai rien de prêt.
I. Les bras en l'air !
J. Tu en as trop mis !

89. VOCABULAIRE : LE CORPS HUMAIN (LA MAIN)

Mettez en relation les phrases qui ont le même sens :

1. Il a réparé la panne les doigts dans le nez.
2. Il connaît ça sur le bout des ongles.
3. Il m'obéit au doigt et à l'œil.
4. J'ai été à deux doigts de me fâcher.
5. Je crois qu'il s'est mis le doigt dans l'œil.
6. Je lui ai donné un petit coup de pouce.
7. Je ne lèverai pas le petit doigt pour lui.
8. Lui et son frère, ils sont unis comme les cinq doigts de la main.

A. Je l'ai aidé.
B. Il se trompe.
C. Je ne ferai rien pour lui.
D. Ils sont très liés.
E. Ça a été très facile pour lui.
F. Il connaît parfaitement ça.
G. Il est très docile.
H. J'ai failli m'énerver.

90. VOCABULAIRE : LE CORPS HUMAIN (LE NEZ)

Mettez en relation les phrases qui ont le même sens :

1. Ça lui pend au nez.
2. Hier, il n'a pas mis le nez dehors.
3. Il a du nez.
4. Il a un coup dans le nez.
5. Il m'a dans le nez.
6. Il met son nez partout.
7. Il n'a pas eu le nez creux.
8. Il s'est retrouvé nez à nez avec lui.
9. Il se laisse mener par le bout du nez.
10. La moutarde lui est montée au nez.

A. Il est perspicace.
B. Il est saoul.
C. Il est resté à la maison.
D. Il l'a rencontré.
E. Il s'est trompé.
F. Il ne me supporte pas.
G. Il s'est mis en colère.
H. Il doit s'y attendre.
I. Il est très docile.
J. Il est très curieux.

91. VOCABULAIRE : LE CORPS HUMAIN (LES YEUX)

Mettez en relation les phrases qui ont le même sens :

1. Elle a l'œil.
2. Elle a le compas dans l'œil.
3. Elle m'a à l'œil.
4. Elle a un œil de lynx.
5. Elle lui fait les yeux doux.
6. Elle n'a pas fermé l'œil de la nuit.
7. Elle n'a pas froid aux yeux.
8. Elle y tient comme à la prunelle de ses yeux.
9. Avec elle, c'est œil pour œil, dent pour dent.
10. Elle ne m'a même pas jeté un coup d'œil.
11. Elle me fait de l'œil.
12. Elle voit ça d'un mauvais œil.

A. Elle n'a pas peur.
B. Elle ne m'a pas regardé.
C. Elle essaie de me séduire.
D. Elle est perspicace.
E. Elle n'a pas dormi.
F. Elle est d'une grande précision.
G. Elle me surveille.
H. Elle n'est pas d'accord.
I. Elle voit tout.
J. C'est une chose qui a beaucoup d'importance pour elle.
K. Elle ne pardonne rien.
L. Elle tente de le séduire.

92. VOCABULAIRE : LE CORPS HUMAIN (LE DOS)

Dites quel est le sens de chaque phrase :

1. Il s'est mis tout le monde à dos.
   ❏ Il est détesté de tous.
   ❏ Il est ami de tous.
   ❏ Il a convaincu tout le monde.

2. Je les ai renvoyés dos à dos.
   ❏ Je leur ai dit de se retourner.
   ❏ Je les ai mis d'accord.
   ❏ Je n'ai donné raison ni à l'un, ni à l'autre.

3. J'en ai froid dans le dos.
   ❏ Je n'ai pas chaud.
   ❏ J'ai la grippe.
   ❏ Ça me fait peur.

4. J'en ai plein le dos.
   ❏ J'en ai assez.
   ❏ Je suis content.
   ❏ Je suis triste.

5. Elle a bon dos, la crise économique.
   - ❏ C'est une grosse crise économique.
   - ❏ La crise n'est pas responsable de tout.
   - ❏ Il n'y a pas de crise économique.

6. Il se retrouve dos au mur.
   - ❏ Il n'a plus le choix.
   - ❏ Il nous fait face.
   - ❏ Il est d'accord.

93. VOCABULAIRE : LE CORPS HUMAIN (LE CŒUR)

Dites si les expressions utilisant le mot « cœur » évoquent la tristesse, la générosité ou autre chose (dans ce cas, précisez s'il s'agit de courage, de volonté ou d'insensibilité) :

	tristesse	générosité	autre chose
1. Ça me fait mal au cœur de partir.			
2. Elle a le cœur gros.			
3. Il a du cœur au ventre.			
4. Il a le cœur lourd.			
5. Il a pris cela à cœur.			
6. Il a un cœur en or.			
7. Il a un cœur de pierre.			
8. Il n'a pas le cœur à rire.			
9. J'en ai gros sur le cœur.			
10. Il a bon cœur.			
11. Il a mis du cœur à l'ouvrage.			
12. Il a le portefeuille à la place du cœur.			

94. VOCABULAIRE : LE CORPS HUMAIN

Mettez en relation les phrases qui ont le même sens :

1. Il est arrivé ventre à terre.
2. J'en ai pris plein les dents.
3. Il travaille comme un pied.
4. Je garde ça sous le coude.
5. Il ne manque pas d'estomac.
6. C'est mon bras droit.
7. Il n'y a plus rien à se mettre sous la dent.
8. Il s'en est fallu d'un cheveu.
9. Il me casse les pieds.
10. Il a les chevilles qui enflent.
11. Il doit avoir les oreilles qui sifflent.
12. J'ai l'estomac dans les talons.
13. Il a une dent contre moi.
14. Il a les pieds sur terre.

A. On m'a fortement critiqué.
B. Il est venu à toute vitesse.
C. Je mets ça de côté.
D. Il est réaliste.
E. Il est malhabile.
F. Il est audacieux.
G. Il ne m'aime pas.
H. C'est mon principal collaborateur.
I. On y a échappé de justesse.
J. Il m'énerve.
K. Il n'y a rien à manger.
L. Il se croît quelqu'un d'important.
M. On dit du mal de lui.
N. J'ai faim.

95. VOCABULAIRE : LE CORPS HUMAIN

Lisez le texte et cochez les cases qui correspondent aux qualités et aux défauts de Monique :

Monique, elle n'a pas la grosse tête. Et puis elle a bon cœur. Si tu as besoin d'un coup de main, elle met tout de suite la main à la pâte. D'accord, elle est un peu « tête en l'air ». Elle a pourtant les pieds bien sur terre. Et surtout ce n'est pas une mauvaise langue.

avare		modeste	
distraite		orgueilleuse	
généreuse		réaliste	
médisante		serviable	
menteuse		vigilante	

96. VOCABULAIRE : LE CORPS HUMAIN

Écoutez l'enregistrement et dites quels sont les défauts ou particularités d'Henri :

Il a un défaut de prononciation.		Il est menteur.	
Il boit.		Il est orgueilleux.	
Il est ambitieux.		Il est vindicatif.	
Il est avare.		Il manque d'humour.	
Il est bizarre.		Il n'est pas très bon professionnelle-ment.	
Il est curieux.		Il parle mal anglais.	
Il est fier.		Il se trompe souvent.	
Il est médisant.			

97. VOCABULAIRE : LE CORPS HUMAIN

Complétez en utilisant les mots proposés :

1. L'autre jour, j'ai invité Édith dans mon .... -à-terre. Je lui ai offert deux .... de porto, et j'ai été à deux .... de demander sa ...., comme ça, sur un coup de .... Je t'assure, il s'en est fallu d'un .... ! (cheveu / doigt / main / pied / tête)

2. Serge, il n'a pas la .... dans sa poche. En plus, il ne manque pas d'............................. C'est peut-être pour ça qu'il s'est mis tout le monde à .... Lui et moi, c'est comme les cinq .... de la .... Je l'aime beaucoup car il a un .... d'or. (cœur / doigt / dos / estomac / langue / main)

3. Ce que tu m'as dit n'est pas tombé dans .... d'un sourd : je me doutais bien que Josette me cassait du sucre sur le .... Je te remercie. Grâce à toi, je sais à quoi m'en tenir et je l'aurai à l' .... maintenant. Ça me fend le .... d'apprendre qu'elle dit du mal de moi ; j'ai longtemps cru qu'elle m'aimait bien : j'en aurais mis ma .... à couper. Mais je me suis bien mis le .... dans l' .... ! (cœur / oreille / doigt / dos / œil / main / œil)

4. J'ai rencontré le père Émile : à 80 ans, il a toujours bon .... bon .... Il a beau répéter qu'il a déjà un .... dans la tombe, il est toujours gaillard. Et il a la .... bien pendue ! L'autre jour, il m'a tenu la .... pendant une demi-heure. Vraiment, quand je le vois en si bonne santé, les .... m'en tombent. (jambe / bras / pied / langue / œil / pied)

Unité 5

Rapporter les paroles de quelqu'un

🔊 98. RAPPORTER LES PAROLES DE QUELQU'UN

Écoutez et choisissez la meilleure façon de rapporter ce qui a été dit :

	enr.
A. Il s'est adressé à Grimaud d'un ton familier.	
B. Il s'est montré très exigeant vis-à-vis de Grimaud.	
C. Il a accueilli Grimaud très chaleureusement.	
D. Il a parlé à Grimaud d'un ton très ironique.	
E. Il a été très vague avec Grimaud.	
F. Il a formulé ses menaces envers Grimaud d'un ton sec.	

99. VOCABULAIRE : LES EXPRESSIONS DU DISCOURS RAPPORTÉ FAMILIER

Mettez en relation les phrases qui ont le même sens :

1. Il a cassé du sucre sur tout le monde.
2. Il a répondu à côté de la plaque.
3. Il m'a mené en bateau.
4. Il m'a passé de la pommade.
5. Il m'a passé un savon.
6. Il m'a tenu la jambe pendant plus d'une heure.
7. Il n'a pas mâché ses mots.
8. Il ne m'a pas laissé en placer une.
9. Il s'est payé ma tête.
10. Il a pris la mouche.

A. Il a été très direct.
B. Il m'a flatté.
C. Il s'est fâché.
D. Il m'a raconté des mensonges.
E. Il n'a pas donné les bonnes réponses.
F. Il s'est mis en colère contre moi.
G. Il s'est moqué de moi.
H. Il s'est plaint de tout le monde.
I. Je n'ai rien pu dire.
J. Je ne pouvais plus me débarrasser de lui.

🔊 100. RAPPORTER LES PAROLES DE QUELQU'UN

Écoutez l'enregistrement et choisissez, parmi les différentes façons de rapporter ce qui a été dit, celles qui se rapportent à ce que vous avez entendu :

Il semble pressé de démarrer ce projet. ❏
Il a critiqué la conception de mon projet. ❏
Il m'a demandé des précisions sur mon projet. ❏
Il m'a fait beaucoup de compliments sur mon projet. ❏
Il a passé en revue tous les détails de mon projet. ❏
J'ai l'impression que c'est surtout moi qui l'intéresse. ❏
Il est en désaccord avec moi sur la question des financements. ❏
Il m'a draguée dès le début de la conversation. ❏

⌨ 101. RAPPORTER LES PAROLES DE QUELQU'UN

Écoutez l'enregistrement et choisissez, parmi les différentes façons de rapporter ce qui a été dit, celles qui se rapportent à ce que vous avez entendu :

C'est un vrai moulin à parole.	❏
Il est allé droit au but.	❏
Il m'a posé plein de questions.	❏
Il m'a raconté sa vie avant de me proposer une audition.	❏
Il m'a tenu la jambe pendant dix minutes pour finalement me fixer rendez-vous samedi soir.	❏
Il n'écoute même pas ce qu'on lui dit.	❏
Il ne m'a pas dit grand-chose. On se voit samedi.	❏
Il s'intéresse beaucoup à ce que je fais.	❏
Je n'ai pas pu en placer une !	❏
Je pense que ça ne va pas être facile de travailler avec lui.	❏
Qu'est-ce qu'il est bavard, ce type !	❏

⌨ 102. RAPPORTER LES PAROLES DE QUELQU'UN

Écoutez l'enregistrement et choisissez, parmi les différentes façons de rapporter ce qui a été dit, celles qui se rapportent à ce que vous avez entendu :

Le coiffeur a conseillé à sa cliente un changement de coiffure.	❏
Il s'est moqué de la cliente.	❏
Il ne la trouve pas jolie.	❏
Il lui propose un prix intéressant.	❏
Il fait des compliments à la cliente.	❏
Il lui suggère de se faire couper les cheveux.	❏
Il trouve que les cheveux longs lui vont bien.	❏
Il lui propose de se teindre légèrement les cheveux.	❏
Il est plutôt désagréable avec la cliente.	❏
Il demande à la cliente de lui faire confiance.	❏

⌨ 103. RAPPORTER LES PAROLES DE QUELQU'UN

Écoutez et complétez en utilisant un des verbes proposés au passé composé :

1. Il nous .... une visite des châteaux de la Loire.
   (suggérer / inviter / présenter)

2. Il m' .... d'y aller à pied. (ordonner / conseiller / déconseiller)

3. Il m' .... d'en avoir parlé à tout le monde.
   (reprocher / demander / féliciter)

4. Il m' .... pour mon travail. (remercier / féliciter / critiquer)

5. Il nous .... à propos de la nouvelle campagne de publicité.
   (demander un avis / donner un avis / informer)

6. Il nous .... que tout serait prêt. (informer / promettre / demander)

7. Il m' .... d'entreprendre des réparations dans ma maison.
   (conseiller / demander / proposer)

8. Il .... ma façon de conduire. (approuver / recommander / critiquer)

9. Elle nous .... qu'elle nous punirait. (déclarer / avertir / apprendre)

10. Il nous a .... de sortir. (interdire / conseiller / demander)

📼 104. LA CONCORDANCE DES TEMPS

Écoutez et choisissez la meilleure façon de rapporter ce qui a été dit :

1. Il a dit qu'il avait rencontré Pierre. ❑
   Il a dit qu'il allait rencontrer Pierre. ❑
   Il a dit qu'il rencontrait Pierre. ❑

2. Elle a dit qu'elle avait terminé. ❑
   Elle a dit qu'elle allait bientôt
   terminer. ❑
   Elle a dit que c'était terminé. ❑

3. Il a dit qu'il serait en retard. ❑
   Il a dit qu'il était en retard. ❑
   Il a dit qu'il avait été en retard. ❑

4. Il a dit que ce serait possible à partir
   de lundi. ❑
   Il a dit que cela avait été impossible. ❑
   Il a dit que c'était possible lundi. ❑

5. Il m'a demandé de me rencontrer. ❑

   Il m'a demandé s'il m'avait déjà
   rencontré. ❑
   Il m'a demandé où on se rencontrerait. ❑

6. Il m'a demandé si je serais là en
   janvier. ❑
   Il m'a demandé si j'avais participé
   à la réunion de janvier. ❑
   Il m'a demandé d'être là en janvier. ❑

7. Il a dit qu'il était parti à la Martinique. ❑
   Il a dit qu'il allait partir à la Martinique. ❑
   Il a dit qu'il partait à la Martinique. ❑

8. Elle m'a demandé de lui téléphoner. ❑
   Elle m'a demandé pourquoi je ne lui
   téléphonais plus. ❑
   Elle m'a demandé pourquoi je ne lui
   avais pas téléphoné. ❑

105. LA CONCORDANCE DES TEMPS

Transformer en respectant la concordance des temps :

1. Je vous rappellerai demain.
   Il nous a dit ....

2. J'ai pris le métro.
   Elle nous a dit ....

3. Vous serez chez vous entre midi et deux ?
   Elle nous a demandé ....

4. J'ai pris froid. Je vais aller chez le médecin.
   Elle nous a dit ....

5. Je n'ai pas terminé mon article pour *Sciences et Vie*.
   Il nous a dit ....

6. Nous reviendrons vous voir le week-end prochain.
   Ils nous ont dit ....

7. Il est resté à la maison tout le week-end.
   Il nous a dit ....

8. Je ne peux pas rentrer avant lundi.
   Elle nous a dit ....

106. LA CONCORDANCE DES TEMPS

Écoutez et trouvez ce qui a été dit (discours direct) :

1. Je suis contente de revenir à Paris. ❑
   Je suis contente d'être de nouveau
   parisienne. ❑
   J'ai été contente de revenir à Paris. ❑

2. Je serais très heureux de vous revoir
   à Paris. ❑
   J'ai été très heureux de vous revoir
   tous les deux dans la capitale. ❑
   Je serai heureux de vous revoir un de
   ces jours à Paris. ❑

3. Je préfère rester plus longtemps avec
   vous. ❑
   J'ai préféré rester plus longtemps
   parmi vous. ❑
   J'aurais préféré rester plus longtemps
   en votre compagnie. ❑

4. Je réussirai à trouver du boulot. ❑
   Je vais réussir à trouver du boulot. ❑
   J'ai réussi à trouver du travail. ❑

5. À mon avis, je reviendrai avant
   l'automne. ❑
   Je ne crois pas que je reviendrai cet
   automne. ❑
   Je ne reviendrai pas avant la fin de
   l'été. ❑

6. Je n'oublierai jamais ces deux semaines
   de bonheur. ❑
   Je n'avais jamais oublié ces deux
   semaines de bonheur. ❑
   Je n'aurais jamais oublié ces deux
   semaines de bonheur. ❑

7. On peut toujours compter sur toi. ❑
   Tu sais que tu pourras toujours
   compter sur moi. ❑
   Je peux toujours compter sur toi. ❑

8. Je t'ai attendu près de la machine à
   café. ❑
   Rendez-vous près de la machine à
   café, d'accord ? ❑
   Moi, je t'attendais près de la machine
   à café ! ❑

107. CONSTRUCTION DES VERBES DU DISCOURS RAPPORTÉ

Complétez avec le mot qui convient :

1. Il nous a dit .... ne pas nous inquiéter.

2. Il nous a promis .... tout serait prêt avant midi.

3. Il nous a invités .... réorganiser notre service après-vente.

4. Je lui ai conseillé .... ne pas se décourager.

5. Elle lui a suggéré .... ne pas chercher à la revoir.

6. Je l'ai félicité .... son succès aux élections.

7. Il m'a reproché .... ne pas l'avoir prévenu à temps.

8. Je lui ai proposé .... nous revoir le plus rapidement possible.

9. Il m'a indiqué .... il serait absent pendant quelques jours.

10. Il m'a interdit .... utiliser son ordinateur.

108. CONSTRUCTION DES VERBES DU DISCOURS RAPPORTÉ + « QUE » (AVEC OU SANS SUBJONCTIF)

Complétez les phrases suivantes :

1. Je lui ai promis que nous .... tout pour lui trouver du travail.
(ferions / faisons / fassions)

2. Il m'a confirmé que le contrat .... avant la fin de la semaine.
(soit signé / est signé / serait signé)

3. Il m'a indiqué qu'il .... nous rendre visite dans le courant de la semaine. (viendrait / vienne / est venu)

4. Il a suggéré que nous .... à son bureau.
(passons / passerions / passions)

5. Il nous a confié qu'il .... l'intention d'écrire un roman.
(ait / avait / aurait)

6. Elle a affirmé que son service n'.................... pas responsable des retards dans les livraisons.
(était / serait / soit)

7. Elle souhaite que nous la .... au courant de nos projets.
(tenons / tenions / tiendrions)

8. Il n'a pas voulu que je .... (viendrais / viens / vienne)

109. VERBES INTRODUCTEURS DU DISCOURS RAPPORTÉ

Faites correspondre les phrases de l'orateur (discours direct) et celle du journaliste (discours rapporté) :

Discours rapporté :

A. Il a émis des doutes sur la politique du gouvernement.

B. Il a exprimé son accord, malgré certaines réserves, avec la politique du gouvernement.

C. Il a approuvé la politique du gouvernement.

D. Il a nettement affirmé sa confiance en la politique du gouvernement.

E. Il a énergiquement condamné la politique du gouvernement.

F. Il a ironisé sur la politique du gouvernement.

G. Il a rappelé les grandes lignes de la politique du gouvernement.

Discours direct :

1. « Je suis totalement d'accord avec les nouvelles mesures prises par le gouvernement. »

2. « Je ne pense pas que le plan gouvernemental soit efficace. »

3. « Cette politique désastreuse mène le pays à la ruine. »

4. « Et c'est avec une pareille politique que le Premier ministre, décidément bien naïf, espère résoudre la crise ! » Je lui dis : « Bonne chance, Monsieur le Premier ministre ! »

5. « J'ai la ferme conviction qu'avec son nouveau plan, le gouvernement va résoudre la crise. »

6. « Lutte contre le chômage, réduction des impôts, réduction des déficits publics, voilà les objectifs du gouvernement. »

7. « J'approuve, dans l'ensemble, la politique du gouvernement mais je ne suis pas d'accord avec certaines mesures. »

1	2	3	4	5	6	7

110. VOCABULAIRE : RÉPONDRE

Remplacez le verbe « répondre » par un verbe plus précis :
conclure-expliquer-menacer-préciser-protester-rétorquer-s'excuser-se féliciter

1. « Mais je vous jure que je ne suis pas coupable », a-t-il répondu.

2. « D'accord, on se retrouve vers 11 heures au bar des cheminots, juste en face de la gare », a-t-il répondu.

3. « Voilà, c'est tout ce que je peux vous dire », a-t-il répondu.

4. « C'est vrai, je suis satisfait d'avoir mené à bien ce projet », a-t-il répondu.

5. « Posez-moi encore une fois cette question et je vous envoie mon avocat », a-t-il répondu.

6. « C'est à cause de la grève des transports. J'ai dû prendre ma voiture et bien entendu, je me suis retrouvé bloqué dans les embouteillages », a-t-il répondu.

7. « Désolé, je ne vous avais pas vue », a-t-il répondu.

8. « Très bien, et vous ? », a-t-il répondu.

111. VERBES DU DISCOURS RAPPORTÉ

Choisissez le verbe qui convient (utilisez-le au passé composé) :

1. Ils .... ma proposition à une écrasante majorité. Il n'y a que Marchand et Dupuis qui ont voté contre. (approuver / rejeter / contester)

2. Il .... des excellents résultats de notre campagne de publicité. (s'inquiéter / se plaindre / se réjouir)

3. Elle .... la politique du gouvernement, qui, selon elle, nous mène directement à la catastrophe. (approuver / dénoncer / défendre)

4. Il .... prendre des sanctions contre lui, à condition qu'il lui présente des excuses. (décider de / renoncer à / accepter de)

5. Il .... défendre sa position, seul contre tous, en répétant inlassablement les mêmes arguments. (s'obstiner à / se contenter de / se borner à)

6. Il .... nous convaincre de son innocence, mais personne ne l'a cru. (réussir à / parvenir à / tenter de)

7. L'opposition .... les mauvais résultats économiques de la politique gouvernementale. (approuver / déplorer / saluer)

8. Nous .... à grands cris notre joie devant la victoire de notre équipe. (manifester / retenir / cacher)

112. VERBES DU DISCOURS RAPPORTÉ

Choisissez le verbe qui convient (utilisez-le au passé composé) :

1. Il .... à m'accorder une augmentation de salaire.
(décider / consentir / refuser)

2. Il .... me convaincre, mais il n'y est pas arrivé.
(réussir à / tenter de / parvenir à)

3. Il n'..................... pas .... à m'interrompre et il m'a écouté jusqu'au bout. (chercher / essayer / renoncer à)

4. Il .... la cohérence du projet. Il est persuadé que ça ne marchera jamais. (être sûr de / croire à / émettre des doutes sur)

5. Il m'.. sa confiance et m'a confié la direction de sa filiale de Taïwan. (refuser / renouveler / retirer)

6. Il .... de la baisse de plus de 15 millions de francs de notre chiffre d'affaires. (se réjouir / se féliciter / s'inquiéter)

7. Il .... avec une grande satisfaction que le bilan 97 avait été largement positif. (constater / déplorer / regretter)

8. Il .... mes chiffres. Il est persuadé que je me suis trompé dans mes calculs. (approuver / contester / accepter)

113. RAPPORTER UN TEXTE ÉCRIT

Écoutez la conversation et choisissez le texte qui correspond le mieux à cette conversation :

Mon cher Jean-Claude,

J'ai bien reçu ton petit mot où tu me demandes de rédiger un article sur l'architecture provinciale. Ce n'est pas trop mon domaine, mais le sujet m'intéresse, d'autant plus qu'à cette saison, je n'ai pas grand chose à faire. Je pourrais faire une série de photos, d'autant plus qu'à cette époque, tous les arbres sont en fleurs. De toute façon, je passerai vous voir pour qu'on en discute. Mes amitiés à Claudine et à très bientôt.

Jean-Pierre

Mon cher Jean-Claude,

Merci pour ton petit mot. Cela m'a fait plaisir d'avoir des nouvelles de toi et de ta famille. En ce qui concerne ta proposition de collaboration à un article sur la Provence et son architecture, je t'avoue que le sujet m'intéresse depuis longtemps. J'ai d'ailleurs une belle collection de photos de mas provençaux que je pourrai de toute façon te communiquer. Le seul problème est, qu'en ce moment, j'ai du travail par-dessus la tête et que je ne vois pas comment, dans l'immédiat, je pourrais consacrer du temps à ça. Par contre, je ne dis pas non, si ça peut attendre un mois ou deux. Si tu veux, on se téléphone et on en reparle dans une quinzaine de jours. Ou mieux, passez me voir toi et Claudine un de ces weekends. La Provence en automne, c'est très agréable.

Jean-Pierre

Mon cher Jean-Claude,

J'ai trouvé ta carte à mon retour dans la capitale. Comme tu le sais, chaque année, je fais un petit voyage en province. Je trouve formidable ton idée d'écrire ensemble un article sur l'architecture provençale. J'ai toujours les photos que nous avions faites il y a quelques années sur ce sujet. Je vais m'y mettre rapidement, malgré le boulot que j'ai en ce moment. Je passerai vous voir un de ces week-ends. Cela fait très longtemps que je ne suis pas allé en Provence et, à cette époque de l'année, il n'y a pas trop de touristes.
Je vous embrasse tous les deux et à bientôt.

Jean-Pierre

114. ACCEPTER / REFUSER (SENS ET SYNTAXE DES VERBES)

A. Complétez :

1. Il a accepté ....
   (à ma proposition / de ma proposition / ma proposition)

2. Je vous remercie d'avoir accepté .... me rencontrer.

3. Je n'accepte pas .... tu prennes des risques.

4. Marie Dupond, acceptez-vous .... prendre Roger Durand pour époux ?

B. Complétez en utilisant « accepter » ou « refuser » au passé composé :

1. Il .... de me voir. Il dit qu'on n'a rien à se dire de plus.

2. Il est au chômage et pourtant il .... ce travail.

3. J'.. toutes les propositions de travail. J'ai décidé de prendre quelques mois de vacances.

4. J'.. sans hésiter. J'ai eu beaucoup de chance de trouver un travail aussi intéressant et bien payé !

115. ANNONCER (SENS ET SYNTAXE DES VERBES)

Complétez :

1. Il nous a annoncé .... pour l'Angleterre.
   (à son départ / de son départ / son départ)

2. Je vous annonce .... je vais me marier avec Sophie.

3. Je vais annoncer la bonne nouvelle .... tous mes amis.

4. J'ai vu ton père. Je .... ai annoncé .... j'avais trouvé du travail.

5. Est-ce qu'il vous a annoncé qu'il .... travailler avec moi ?
   (allait / aille / est allé)

116. DÉCIDER (SENS ET SYNTAXE DES VERBES)

Complétez :

1. Je viens de décider .... donner ma démission.

2. Je me suis enfin décidé .... vous écrire.

3. Il a décidé .... vous iriez diriger son usine de Toulouse.

4. C'est lui qui décide .... tout.

5. Je me suis décidé .... la première solution. (à / pour / de)

6. Ce n'est pas moi qui ai décidé .... de 200 personnes.
   (au licenciement / le licenciement)

7. J'ai décidé .... à faire des efforts. (à René / René / de René)

8. J'ai décidé .... arrêter de fumer.

117. DEMANDER

Complétez :

1. Je me suis demandé .... tout cela était vraiment sérieux.

2. Je vous demanderai .... être à l'heure.

3. Il demande que vous .... à son bureau à 8 heures, sans faute.
   (passez / passiez / passerez)

4. Vous avez demandé .... me voir ?

5. Demandez-.. quand il va terminer les travaux. (y / le / lui)

6. Il attend de nouveaux ordinateurs. Il .... a demandé quinze. (en / y / les)

7. Je ne demande pas .... ! (à la lune / la lune / de la lune)

8. Tu cherches une voiture ? Demande .... Je crois qu'il veut vendre la sienne. (Paul / à Paul / de Paul)

118. INSISTER (SENS ET SYNTAXE DES VERBES)

A. Complétez :

1. Il a insisté .... l'importance de ce contrat. (sur / de / pour)

2. Elle a insisté .... je la raccompagne. (pour / que / pour que)

3. Il a insisté .... m'inviter à dîner. (pour que / pour / de)

B. Remplacez « insister » par un synonyme :

1. Si vous n'y arrivez pas, **n'insistez pas** !
   abandonnez ❏   continuez ❏   ne répétez pas ❏

2. Si ça ne marche pas, **insistez** !
   répétez ❏   persévérez ❏   poursuivez ❏

3. **Il a insisté sur** les dangers d'un tel voyage.
   Il a souligné ❏   Il a répété ❏   Il s'est obstiné sur ❏

119. PENSER (SYNTAXE)

Complétez :

1. Je pense souvent .... toi.

2. Je pense .... il va arriver d'un instant à l'autre.

3. Est-ce que tu as pensé .... prévenir Pierre de ton arrivée ?

4. Qu'est-ce que tu penses .... lui ?

5. Je vais le repeindre en bleu. Qu'est-ce que tu .... penses ?

6. Aller vivre en province ? J'........................... pense très souvent.

7. Je pense .... avant minuit. (de rentrer / rentrer / à rentrer)

8. Je ne pense pas qu'il .... (vient / vienne)

120. PENSER (SENS)

Remplacez « penser » par un synonyme :

1. **Je pense** louer un petit studio près de Sète pour les vacances.
   J'envisage de ❏   J'espère ❏   Je crois ❏

2. Je n'avais pas **pensé à** ça.
   songé à ❏   cru à ❏   imaginé ❏

3. **Je pense** qu'il faut rentrer. Il va pleuvoir.
   Je songe ❏   J'envisage ❏   Je crois ❏

4. **Je pense** qu'il va falloir faire extrêmement attention à ce qu'on va dire...
   J'imagine ❏   Je crois ❏   Je songe ❏

5. Fuir loin de la ville et du stress quotidien ! Je ne **pense** qu'à ça !
   réfléchis ❏   rêve ❏   crois ❏

6. Un peu de silence, s'il vous plaît ! Je **pense**.
   songe ❏   rêve ❏   réfléchis ❏

7. Je n'aurais jamais **pensé** qu'il se comporterait de cette façon !
   cru ❏   envisagé ❏   rêvé ❏

8. J'ai **pensé à** plusieurs solutions pour les vacances.
   médité ❏   réfléchi à ❏   envisagé ❏

121. PRÉCISER

Complétez :

1. Vous ne m'avez pas précisé .... je devais vous l'envoyer à votre domicile ou à votre bureau.

2. Il ne m'a pas précisé .... je devrais faire en arrivant.

3. Est-ce que vous pouvez me préciser .... de congés d'été ?
   (à vos dates / vos dates / de vos dates)

4. J'ai bien précisé .... que nous serions fermés à partir du 10 juillet.
   (de M. Marin / à M. Marin / M. Marin)

5. Je dois vous préciser .... nous n'accepterons aucune inscription après le 15 septembre.

122. PROMETTRE

Complétez :

1. Il m'a promis .... me payer avant la fin du mois.

2. Il m'a promis .... de salaire il y a 6 mois. Je l'attends toujours !
   (à une augmentation / une augmentation / d'une augmentation)

3. Je leur ai promis .... ils auraient mon rapport d'ici une semaine.

4. Elle .... a promis d'être là. (l' / y / lui)

5. Non, pas celles-là. Je .... ai promises à Claude. (lui / les / l')

123. RÉPÉTER

Complétez :

1. Je lui ai répété .... faire attention.

2. Je ne répéterai pas .... je viens de dire. (ce que / que / ce dont)

3. Il m'a répété .... je devais l'aider.

4. Est-ce que vous pouvez répéter .... ?
   (à cette phrase / de cette phrase / cette phrase)

5. Il va le répéter .... tout le monde.

6. J'ai vu René. Je .... ai répété à plusieurs reprises ce que tu m'avais dit.
   (l' / lui / les)

7. Je n'arrive pas à apprendre ces dialogues. Je .... ai pourtant répétés plusieurs fois.
   (les / leur / lui)

124. RÉPONDRE

A. Complétez :

1. Je vais répondre .... ta mère.

2. Je réponds .... lui. C'est quelqu'un en qui j'ai toute confiance.

3. Réponds-........................, il t'a posé une question !

4. Il m'a répondu que je .... patienter encore quelques jours. (doive / devrais / dois)

5. Il n'a toujours pas répondu .... mon courrier.

B. Faites correspondre les phrases de même sens :

1. Ça ne répond pas.   A. Vous êtes sourd ?

2. Je réponds totalement de son honnêteté.   B. Elle l'a ignoré.

3. Elle n'a pas répondu à ses avances.   C. Tu es muet ?

4. Ça sonne ! Tu peux répondre ?   D. Je me suis défendu.

5. Je vous ai déjà répondu cent fois que ce   E. Il n'y a personne au bout du fil
   n'était pas possible !   F. Décroche !

6. Eh bien, j'attends, réponds-moi !   G. Je vous garantis que c'est un type honnête.

7. Il m'a frappé, alors j'ai répondu.

Cause, conséquence, hypothèse

125. RELATIONS DE CAUSE / CONSÉQUENCE

Reliez les faits en utilisant l'expression proposée :

1. L'enfant a été sauvé des flammes. / Intervention rapide des pompiers. (grâce à)

....

2. Il a gagné la course. / Crevaison à 5 km de l'arrivée. (malgré)

....

3. J'ai raté mon train. / Embouteillages. (à cause de)

....

4. La route a été coupée. / Violentes chutes de neige. (à la suite de)

....

5. Je n'ai pas pu regarder le match à la télé. / Panne d'électricité. (à cause de)

....

6. Défilé du 14 juillet. / La circulation sera interdite au centre-ville. (en raison de)

....

7. Magasin fermé du 15/7 au 15/8. / Congés annuels. (pour cause de)

....

8. Il est arrivé au sommet. / Le froid et la fatigue. (malgré)

....

126. RELATIONS DE CAUSE / CONSÉQUENCE

Complétez :

1. Il a gagné .... la chance. (malgré / grâce à / à cause de)

2. Il a glissé .... verglas. (malgré le / grâce au / à cause du)

3. Le spectacle a eu lieu .... l'orage. (à cause de / malgré / en raison de)

4. Votre attention s'il vous plaît : .... un mouvement de grève du syndicat
des pilotes, le vol Paris-Francfort est annulé. (en raison d' / grâce à / malgré)

5. .... toi, je vais arriver en retard à mon rendez-vous.
(En raison de / Grâce à / À cause de)

6. Toutes les rues sont bloquées .... manifestations.
(malgré les / à cause des / grâce aux)

7. Il a pu terminer sa conférence .... sifflets du public.
(grâce aux / en raison des / malgré les)

8. C'est .... sang-froid du pilote que le drame a pu être évité.
(grâce au / à cause du / malgré le)

127. RELATIONS DE CAUSE / CONSÉQUENCE

Regroupez les phrases qui ont le même sens :

1. Cet accident est dû au brouillard.

2. Grâce à l'aide de Jacques, elle a trouvé du travail.

3. Jeanne a quitté Paris car elle ne trouvait pas de travail.

4. La pollution est la cause de l'augmentation du nombre des maladies pulmonaires.

5. Le développement de la délinquance est lié à l'augmentation du chômage.

6. Je n'ai pas trouvé de billet d'avion pour Nice, je partirai donc en train.

7. L'échec de Jacques au baccalauréat vient de son manque de travail.

A. Jeanne ne trouvait pas de travail, alors elle a quitté Paris.

B. Un accident s'est produit, à cause du brouillard.

C. Je vais à Nice en train car je n'ai pas trouvé de billet d'avion.

D. La délinquance se développe à cause de la montée du chômage.

E. Elle a trouvé du travail parce que Jacques l'a aidée.

F. Jacques n'a pas travaillé, alors il a échoué au baccalauréat.

G. L'augmentation du nombre de maladies pulmonaires est dûe à la pollution.

1	2	3	4	5	6	7

128. RELATIONS DE CAUSE / CONSÉQUENCE

Choisissez la fin de chaque phrase :

1. Elle a demandé le divorce
   - parce que son mari la battait. ❑
   - parce qu'il faisait beau. ❑
   - car elle aime son mari. ❑

2. Il y a eu une série d'accidents sur l'autoroute
   - parce qu'il faisait beau. ❑
   - à cause du brouillard. ❑
   - grâce aux bonnes conditions météorologiques. ❑

3. Nous devons aller nous coucher
   - car il est tard. ❑
   - parce qu'il pleut. ❑
   - à cause du beau temps. ❑

4. Il faut apprendre deux langues
   - parce que c'est inutile. ❑
   - parce que c'est indispensable aujourd'hui pour trouver du travail. ❑
   - pour vivre heureux. ❑

5. Elle est très fatiguée
   - à cause de son excellente forme. ❑
   - parce qu'elle a beaucoup travaillé. ❑
   - car elle est en vacances. ❑

129. RELATIONS DE CAUSE / CONSÉQUENCE

Reliez les faits en utilisant l'expression proposée :

1. J'ai laissé un message sur son répondeur. / Il n'était pas là. (comme)

2. Vous ne voulez pas m'écouter. / Je me tais. (puisque)

3. J'avais un travail urgent à terminer. / Je n'ai pas eu le temps de déjeuner. (si bien que)

4. Je n'ai plus rien à dire. / Je me tais. (parce que)

5. Il faisait beau. / Nous avons décidé de faire une petite promenade dans la forêt. (comme)

6. Il n'y avait personne. / Je suis rentré. (alors)

7. Nous allons commencer l'entraînement. / Tout le monde est là. (puisque)

8. J'avais oublié ma clef. / J'ai dû coucher à l'hôtel. (comme)

130. RELATIONS DE CAUSE / CONSÉQUENCE

Reformulez les phrases d'une autre façon :

1. Le succès de ce film provient de la popularité de Mel Gibson.

....

2. À cause des élections anticipées, le budget de l'Etat n'a pas été voté.

....

3. Il a plu ; c'est pourquoi la fête de la Musique n'a pas connu un plein succès.

....

4. Le pont de Marly s'est écroulé ; on a donc fermé l'autoroute A5.

....

5. Avec l'aide de Paul, j'ai trouvé un appartement.

....

6. Il fait très beau, nous allons à la plage.

....

7. Le Premier ministre a démissionné car il a été violemment attaqué par la presse.

....

8. Je ne pars pas en vacances parce que je n'ai pas d'argent.

....

131. MAIS, OU, ET, DONC, OR, NI, CAR, PUIS

Complétez en utilisant les conjonctions de coordination « mais », « ou », « et », « donc », « or », « ni », « car », « puis » :

1. C'est bien Descartes qui a dit : « Je pense .... je suis » ?

2. C'est très beau, ... je trouve que c'est un peu cher.

3. Nous avons dû rentrer, ... l'orage menaçait.

4. Nous continuons .... nous faisons une petite pause ?

5. C'est une histoire sans queue .... tête.

6. Nous pensions avoir tout prévu. ...., nous ne nous doutions pas qu'un événement imprévu allait bouleverser nos prévisions.

7. Vous servirez d'abord l'apéritif, ... quand tout le monde sera là, nous passerons à table.

8. Encore une heure de travail .... c'est fini !

132. LE SENS DU CONDITIONNEL PASSÉ

Dites quel est le sens des conditionnels passés pour chacune des phrases suivantes :

1. Tu aurais pu me prévenir un peu plus tôt !

2. J'aurais dû rester à la maison. J'ai passé une soirée mortelle !

3. Sans toi, je n'aurais jamais terminé d'écrire ce livre.

4. Sans le courage des sauveteurs, l'incendie aurait sans doute fait de nombreuses victimes.

5. D'après certaines rumeurs, les deux chefs de l'État se seraient rencontrés discrètement à plusieurs reprises.

6. Il aurait pu te remercier, après tout ce que tu as fait pour lui !

7. Je n'aurais pas dû me fâcher avec elle !

8. Tu sais ce que je viens d'apprendre par Marie-Hélène ? Marc et Brigitte se seraient séparés !

9. D'après les scientifiques, la disparition des dinosaures serait due à la chute d'un astéroïde sur la terre, il y a des millions d'années.

10. Tu m'a sauvé la vie ! Je n'aurais jamais pu faire ça tout seul !

	1	2	3	4	5	6	7	8	9	10
information non sûre										
hypothèse										
remerciement										
reproche										
regret										

133. LE CONDITIONNEL PASSÉ (REPÉRAGE)

Écoutez et dites si c'est le conditionnel passé ou le futur antérieur que vous avez entendu :

	Conditionnel	Futur antérieur			Conditionnel	Futur antérieur
1.				6.		
2.				7.		
3.				8.		
4.				9.		
5.				10.		

134. LE CONDITIONNEL PRÉSENT ET PASSÉ

Complétez en utilisant le conditionnel présent ou passé :

1. Si je n'étais pas si pressé, je .... plus longtemps avec toi. (rester)

2. Si tu m'avais prévenu plus tôt, j'.. des amis. (inviter)

3. Si je n'avais pas pris un taxi, j'.. mon avion. (manquer)

4. Tu ne m'avais pas dit que l'ordinateur était en panne. Tu .... me prévenir ! (pouvoir)

5. Si tu me téléphonais de temps en temps, on .... plus souvent. (se voir)

6. Si tu ne regardais pas toujours la télévision, tu .... de meilleurs résultats à l'école ! (obtenir)

7. Si tu avais été plus prudent, tu n'.. pas .... la voiture. (casser)

8. Si j'étais président de la République, je .... les impôts. (supprimer)

🔊 135. FORMULER DES HYPOTHÈSES

Écoutez et dites ce qui s'est réellement passé :

	vrai	faux
Le voisin a été inondé.		
Paul a appelé le plombier.		
Paul a réparé la fuite lui-même.		
Il y a eu pour 12 000 francs de dégâts.		
Marie a payé l'assurance.		
L'assurance a payé les dégâts.		

136. FORMULES DE POLITESSE ÉCRITES

Complétez en choisissant la meilleure formule :

1. Nous .... vous annoncer que vous êtes l'heureux gagnant de notre grand concours. (avoir le devoir de / avoir le regret de / avoir le plaisir de)

2. J'.. vous informer que la direction de notre entreprise vient de vous accorder une augmentation de salaire de 0,48 F / heure à compter du premier janvier. (avoir le regret de / avoir le plaisir de / être consterné de)

3. C'est .... que nous avons appris la nouvelle de la disparition tragique d'oncle Charles, pour lequel nous avions beaucoup d'affection.
(avec beaucoup de chagrin / sans émotion / avec beaucoup de bonheur)

4. C'est .... que j'ai découvert dans le journal l'annonce de votre mariage. Beaucoup de bonheur à tous les deux.
(avec consternation / avec une grande joie / avec une grande tristesse)

5. J'.. vous rappeler, en tant que maire du village de Beau-soleil, que l'usage des tondeuses à gazon est interdit à des heures tardives de la nuit car il dérange le sommeil des voisins, dont je fais partie.
(avoir la chance de / avoir le devoir de / avoir le plaisir de)

6. Adrien .... de vous faire part de la naissance de sa petite sœur Alice, le 17 janvier 1998, à 16 h 30. (avoir le devoir de / avoir la joie de / avoir la surprise de)

137. FORMULATION D'HYPOTHÈSES

Reformulez les hypothèses suivantes en utilisant l'expression proposée :

1. Au cas où Henri téléphonerait, dites-lui que son chèque est prêt. (si)

....

2. Si cet appareil tombe en panne, prévenez immédiatement le service de maintenance. (en cas de)

....

3. S'il n'y a plus de place dans le TGV de 17 h 15, je prendrai le suivant. (Dans le cas où)

....

4. N'hésitez pas à me téléphoner si vous avez un problème. (en cas de)

....

5. En cas de fièvre, doublez la dose. (si)

....

6. Je serai peut-être absent demain. Dans ce cas, annulez tous mes rendez-vous. (si)

....

7. Si je ne suis pas au magasin, tu peux me joindre sur mon portable. (au cas où)

....

8. Prévoyons un éclairage de secours au cas où il y aurait une panne d'électricité. (dans l'éventualité de)

....

138. TANT QUE / JUSQU'À CE QUE

Reformulez les phrases en utilisant « tant que » (+ futur antérieur) ou « jusqu'à ce que » (+ sub-jonctif passé) :

1. Je ne partirai pas d'ici tant qu'il ne m'aura pas reçu.

Je resterai ici jusqu'à ce qu'..

2. Je n'arrêterai pas tant que je n'aurai pas terminé.

Je continuerai jusqu'à ce que..

3. Je travaillerai jusqu'à ce que j'aie terminé de corriger ce manuscrit.

Je ne prendrai pas de repos tant que ....

4. Je ne vous laisserai pas en paix tant que vous ne m'aurez pas tout expliqué.

J'insisterai jusqu'à ce que ....

5. J'irai au lit quand j'aurai fini ça.

Je n'irai pas au lit tant que ....

6. Vous pourrez bouger d'ici quand je vous en donnerai l'autorisation.

Vous ne bougerez pas d'ici tant que ....

7. Je t'accepterai de nouveau en classe quand tu te seras excusé.

Je ne t'accepterai pas en classe tant que ....

8. Je ne peux pas prendre mon billet d'avion tant que je n'ai pas reçu confirmation de ma mission.

J'attendrai pour prendre mon billet d'avion jusqu'à ce que ....

139. TANT QUE / JUSQU'À CE QUE

Complétez les phrases suivantes en utilisant le verbe proposé :

1. Vous ne sortirez pas de table tant que vous .... pas .... votre soupe ! (manger)

2. J'attendrai jusqu'à ce que vous .... à toutes mes questions. (répondre)

3. Je refuse de la voir tant qu'elle ne .... pas .... (s'excuser)

4. J'insisterai jusqu'à ce qu'il m'... un rendez-vous. (accorder)

5. Je continuerai à les embêter, jusqu'à ce qu'ils .... (changer d'avis)

6. Je ne vous paierai pas tant que vous n'... pas .... le travail. (terminer)

7. Le professeur est prêt à reprendre l'explication jusqu'à ce que vous .... (comprendre)

8. « Tant qu'il y .... de la vie, il y a de l'espoir », dit un proverbe. (avoir)

140. DIVERSES FORMULATIONS DE L'HYPOTHÈSE

Écoutez et choisissez la phrase qui a le même sens :

1. En cas de pluie, je ne vais pas me baigner. ❏
   Je vais me baigner, sauf s'il pleut. ❏
   Qu'il pleuve ou non, je vais me baigner. ❏

2. Je ne suis là pour personne, même si ma femme appelle. ❏
   Si ma femme appelle, passez-la-moi. Sinon, je ne suis là pour personne. ❏
   Qui que ce soit qui appelle, je ne suis pas là. ❏

3. Qu'il soit libre ou pas, je veux le voir. ❏
   Je veux le voir même s'il n'est pas libre. ❏
   Je le verrai quand il sera libre. ❏

4. Je ne suis pas sûr d'être là à 10 heures. ❏
   Quoi qu'il se passe, je serai là à 10 heures. ❏
   Je serai là à 10 heures, sauf contretemps de dernière minute. ❏

5. En cas de retard, je ne ferai rien. ❏
   Je t'attendrai, sauf si tu es en retard. ❏
   De toute façon, je t'attendrai, même si tu es en retard. ❏

6. Je serai là demain matin, à moins d'un imprévu. ❏
   Je serai la demain matin de toute façon. ❏
   Je serai là à 10 heures, sauf contretemps de dernière minute. ❏

7. Même s'il pleut, la fête aura lieu en plein air. ❏
La fête aura lieu dehors, sauf en cas de pluie. ❏
Quel que soit le temps, la fête aura lieu en plein air. ❏

8. Si le concierge est là, sonnez à l'entrée de service. ❏
Même si le concierge est là, sonnez à l'entrée de service. ❏
Au cas où le concierge ne serait pas là, vous devez sonner à l'entrée de service. ❏

141. POUVOIR (SENS DES VERBES)

Mettez en relation les phrases des deux colonnes qui ont le même sens :

1. Il se peut que je sois un peu en retard.
2. Je n'en peux plus.
3. Je n'y peux rien.
4. Je ne peux rien dire.
5. Je peux y arriver. J'en suis sûr.
6. On peut y aller.
7. Je peux vous aider ?
8. Tout le monde peut se tromper.
9. Je fais ce que je peux !
10. Ça se peut…
11. Je peux ?
12. Vous ne pouvez pas vous tromper.
13. Je peux me tromper.
14. Il peut toujours attendre !

A. Tout est prêt.
B. Je fais tout ce qui est en mon pouvoir.
C. Vous avez besoin d'un coup de main ?
D. Je n'en suis pas sûr.
E. C'est possible…
F. Je suis très fatigué.
G. Il peut faire une croix dessus !
H. Errare humanum est.
I. Je n'ai pas le droit d'en parler.
J. Vous permettez ?
K. J'en suis capable.
L. C'est un jeu d'enfant.
M. Il y a des chances pour que je ne sois pas à l'heure.
N. Ce n'est pas moi qui décide.

142. PRENDRE (SENS)

Mettez en relation les phrases des deux colonnes qui ont le même sens :

1. Je vais prendre l'air
2. Je crois que je ne vais pas prendre racine ici.
3. Je vais prendre tout mon temps.
4. Il l'a pris de haut.
5. J'y ai pris goût.
6. Je l'ai pris en grippe.
7. Il a pris du poids.
8. Il a pris ses cliques et ses claques.
9. Elle a pris la mouche.
10. J'ai pris mon pied.
11. Qu'est-ce que tu prends ?
12. Je prends le soleil.
13. Je prends mes précautions.
14. J'ai pris froid.

A. Je ne suis pas pressé.
B. C'était super !
C. Je bronze.
D. Je ne vais pas m'éterniser.
E. Je ne le supporte plus.
F. Je fais attention.
G. Il a grossi.
H. Qu'est-ce que tu bois ?
I. Elle s'est fâchée.
J. J'ai la grippe.
K. Je sors.
L. Il s'est fâché.
M. Je ne peux plus m'en passer.
N. Il est parti.

143. COMPRENDRE (SYNTAXE)

Complétez en choisissant :

1. Je n'ai pas compris ....
   (ses explications / à ses explications / de ses explications)

2. Je n'ai rien compris ....
   (ses explications / à ses explications / de ses explications)

3. Je n'ai pas compris .... (qu'il m'a dit / qu'il me dise / ce qu'il m'a dit)

4. Je comprends que vous .... prudent dans cette affaire.
   (êtes / soyez / serez)

5. D'après ce qu'il m'a dit, j'ai compris qu'il .... se dépêcher.
   (fallait / faille / ait fallu)

6. On .... comprend à peu près. Nous avons quelques notions de russe.
   (Les / y / en)

7. Qu'est-ce qu'elle dit ? Tu .... comprends quelque chose ? (en / la / y)

144. COMPRENDRE (SENS)

Remplacez le verbe « comprendre » par un synonyme :

1. Le séjour coûte 5 000 francs. Cela **comprend** le voyage, l'hébergement en hôtel et trois excursions.

   inclut ❑   entend ❑   contient ❑

2. **Je comprends** très bien votre stratégie, mais je doute des résultats.

   J'entends ❑   Je conçois ❑   Je trouve ❑

3. **Je comprends** l'écriture cyrillique.

   Je déchiffre ❑   Je conçois ❑   Je découvre ❑

4. J'ai **compris** le sens de la vie.

   entendu ❑   conçu ❑   appris ❑

5. Je viens de **comprendre** que j'avais fait une erreur.

   réaliser ❑   trouver ❑   apprendre ❑

6. Je n'ai pas **compris** le sens exact de son message.

   réalisé ❑   saisi ❑   entendu ❑

145. ATTENDRE (SENS ET SYNTAXE DES VERBES)

Complétez en utilisant « à », « de », « à ce que », « que », ou choisissez l'une des expressions proposées :

1. Je m'attends .... de nombreuses difficultés.

2. Je m'attends .... il vienne me voir pour me demander de l'argent.

3. J'attends .... connaître les résultats pour triompher.

4. J'attends .... il soit là pour commencer.

5. J'attends .... extrêmement important.
(à un courrier / d'un courrier / un courrier)

6. Qu'est-ce que vous attendez .... moi ?

7. Attendez- .... ! (à moi / moi / de moi)

8. Je ne m'attendais pas .... de si bons résultats.

9. Je ne m'attendais pas .... le voir arriver si tôt.

10. Vous pourriez attendre .... (votre tour / à votre tour / de votre tour)

11. J'attends qu'il .... une décision. (prendra / prend / prenne)

146. VOCABULAIRE : LES MOTS FRANÇAIS D'ORIGINE ÉTRANGÈRE

Soulignez le ou les mots d'origine étrangère et essayez de dire de quelle langue ils viennent :

	espagnol	italien	anglais	arabe	grec	hindoustani	turc	esquimau	allemand
1. Elle est amoureuse d'un torero.									
2. Ce soir, je vais vous faire des spaghettis et un bon steak.									
3. Henri, c'est un vrai macho !									
4. J'habite dans un petit bled près de Nice.									
5. Dans la vie, il faut être philosophe…									
6. Rendez-vous en face du kiosque à musique.									
7. Mets ton anorak pour faire du kayak, il fait très froid.									
8. J'ai loué un petit bungalow près de la plage.									
9. Ici, c'est la vie de pacha, la dolce vita…									
10. C'est le souk dans ta chambre ! Range ton pyjama !									
11. Je trouve cette robe très chic.									
12. Moi pour les chiffres, je suis zéro.									

147. VOCABULAIRE : LES MOTS FRANÇAIS D'ORIGINE ÉTRANGÈRE

Soulignez le ou les mots d'origine étrangère et essayez de dire de quelle langue ils viennent :

	espagnol	italien	anglais	arabe	grec	turc	allemand	tchèque	chinois	persan
1. Le ciel est bleu azur.										
2. C'est un bambin de 3 ans.										
3. J'aime bien les histoires de vampires.										
4. Il travaille comme un robot.										
5. Tu veux du thé ou du café ?										
6. Je suis invité à un cocktail à l'ambassade d'Espagne.										
7. Il est très sympathique.										
8. Mon rêve ? Faire une croisière sur un gros paquebot.										
9. Il est parti en vacances en caravane.										
10. Bravo !										
11. Comme c'est bizarre !										
12. Je suis arrivé ici par hasard.										

Argumenter

📼 148. ARGUMENTER : CRITIQUE POSITIVE OU NÉGATIVE

Écoutez les enregistrements et dites si la critique est positive ou négative :

enr.	positive	négative
1.		
2.		
3.		
4.		
5.		

149. ARGUMENTER : CRITIQUE POSITIVE OU NÉGATIVE

Complétez en choisissant les adjectifs qui conviennent :

Voilà un fim .... ; les acteurs y sont ....

Pour traiter ce thème difficile, Cyril Vanne a vraiment fait le .... choix en adaptant un roman policier de Guy Torn, un .... polar. Le héros est .... et plein d'humour. Un rythme trépidant pour un film plein de talent.

(mauvais / formidables / médiocre / passionnant / époustouflant / triste / nuls / ennuyeux / bon / superbe / sympathique)

📼 150. EXPRESSION DE L'OPPOSITION

Écoutez les enregistrements et identifiez la (ou les) constructions des expressions permettant d'établir une opposition entre deux faits :

	enr.	+ subjonctif présent	+ subjonctif passé	+ indicatif	+ nom	+ adjectif	+ phrase
bien que							
malgré							
pourtant							
en dépit de							
quoique							
quoi que							
même si							

151. EXPRESSION DE L'OPPOSITION

Complétez en choisissant l'expression qui convient :

1. .... une augmentation des exportations, l'entreprise n'a pas pu éviter les licenciements.
   (Malgré / Pourtant / En raison d')

2. .... aux prévisions météorologiques qui prévoyaient de violents orages sur toute la France, il a fait un temps splendide.
   (Conformément / Contrairement / Semblablement)

3. C'est lui qui a gagné. Et ...., c'était la première fois qu'il jouait à ce jeu.
   (pourtant / en revanche / au contraire)

4. Je n'ai plus de Macintosh en stock en ce moment. .... je peux vous proposer un PC.
   (au contraire / pourtant / en revanche)

5. .... efforts des pompiers, l'immeuble a été entièrement détruit par les flammes.
   (En raison des / En dépit des / Grâce aux)

6. – Je ne vous dérange pas ?

   – ...., je suis très content de vous voir.

   (Au contraire / Pourtant / En revanche)

7. .... son frère qui n'a pas inventé l'eau chaude et qui se comporte toujours comme un grossier personnage, il est beau, intelligent et d'une très grande gentillesse.
   (Comme / Semblablement à / À l'inverse de)

8. C'est un excellent film, ... la fin soit un peu décevante.
   (bien que / malgré / même si)

152. EXPRESSION DE L'OPPOSITION

Reliez les deux informations en utilisant la relation d'opposition proposée :

1. La soirée a été très réussie. / Elle s'est terminée un peu trop tôt à mon goût. (même si)

2. Son exposé a été très brillant / Il ne connaissait pas très bien le sujet. (Et pourtant)

3. Je lui ai proposé de travailler avec moi. / Nous ne sommes pas très amis. (bien que)

4. Il est en pleine forme. / Il a 75 ans. (malgré)

5. Nous sommes en février. / Il fait un soleil de printemps. (quoique)

6. Il fait froid. / Il se promène habillé d'une chemise d'été. (en dépit de)

153. EXPRESSION DE L'OPPOSITION

Complétez les phrases avec l'expression qui convient :

1. En dépit de quelques bonnes actions en première mi-temps ....
   le match a été passionnant.
   nous avons assisté à un match exceptionnel.
   ce match était sans intérêt.

2. Je n'ai plus de chambres simples, en revanche ....
   je peux vous proposer une chambre double, pour le même prix.
   toutes les chambres sont prises.
   vous voulez une chambre pour une personne ?

3. C'est un garçon très compétent bien que ....
   très expérimenté.
   légèrement timide.
   super intelligent.

4. Il est très séduisant malgré ....
   son âge.
   qu'il est vieux.
   son charme.

5. Nous nous sommes quittés et pourtant ....
   je ne l'aime pas.
   nous sommes toujours ensemble.
   nous nous aimons.

6. Je ferai ma conférence même ....
   si la salle est vide.
   s'il y a peu de monde.
   si la salle est pleine.

7. Contrairement à nos prévisions les plus pessimistes ....
   le bilan financier de cette année est excellent.
   le bilan financier de cette année est désastreux.
   nous allons devoir fermer l'entreprise.

8. Tout le monde m'avait dit qu'elle était triste et sans humour. Au contraire ....
   je n'ai jamais rencontré quelqu'un d'aussi amusant.
   elle est gaie comme une porte de prison.
   avec elle, ce n'est pas la joie.

154. LES ARTICULATEURS LOGIQUES

Complétez les phrases suivantes en utilisant les articulateurs logiques qui conviennent :

1. Je ne viendrai pas chez toi jeudi .... j'ai trop de travail.

   ...., si tu veux, je pourrai venir te voir samedi matin.

car	Donc
pourquoi	En revanche
si bien que	Parce que

2. .... il ait sans doute raison, personne ne veut l'écouter.

   Même s'
   Bien qu'
   Malgré

3. Pour commander cet imperméable élégant, pratique, à un prix exceptionnel, il vous suffit
   de nous téléphoner au 05.06.07.07. Vous pouvez .... commander par Mi-
   nitel : 3615 FRINGANT.

   au contraire
   pourtant
   également

4. Mes chers concitoyens, il faut aujourd'hui accorder toute leur importance aux problèmes écologiques : .... parce que cela concerne l'avenir de nos enfants et de notre pays, ... parce que c'est notre santé qui est en jeu, ... parce que la protection de l'environnement est une réalité économique d'aujourd'hui. Pour conclure, mes chers concitoyens, vous trouverez en moi un partisan convaincu de la défense de l'environnement.

d'abord	premièrement	ensuite
ensuite	pour finir	et surtout
enfin	ensuite	et encore

5. .... il a un caractère difficile, je trouve que Christophe est un garçon intéressant .... il est très cultivé .... il a beaucoup d'humour.

Même s'	parce qu'	et parce qu'
Parce qu'	bien qu'	et bien qu'
Bien qu'	de sorte qu'	et qu'

6. Les accidents sont dus en grande partie aux excès de vitesse .... des mesures plus sévéres seront prises contre les chauffards.

si bien que
parce que
quoique

155. ARGUMENTER : ENCHAÎNER DES ARGUMENTS

Mettez en relation les phrases de la colonne de gauche et les arguments de la colonne de droite :

1. Une diminution de la pollution passe par une règlementation de la circulation dans la ville.

2. Le chômage des jeunes reste le premier problème de notre pays.

3. L'organisation d'élections dans ce pays est la preuve du retour à la normale.

4. Le président a annoncé une diminution des impôts.

5. La pollution devient un réel problème à Paris.

A. contrairement à toutes les prévisions faites pour le budget.

B. mais ce n'est pas le seul moyen de réduire la pollution.

C. en effet, il n'a cessé d'augmenter ces trois dernières années.

D. c'est pourquoi la circulation a été interdite hier.

E. mais elle ne sera pas possible avant deux ans.

1	2	3	4	5

Observez les deux curriculum vitae. Écoutez les enregistrements et dites, pour chaque enregistrement, s'il se réfère au CV d'Alain ou à celui de Pierre, puis précisez si l'argument de l'homme et celui de la femme sont favorables ou défavorables :

CURRICULUM VITAE
Nom : Alain DIETRICH Date de naissance : 28.11.1972 Célibataire Études / Diplômes : Baccalauréat A2 Licence de mathématiques (université de Poitiers – 1994) Maîtrise en informatique et systèmes automatisés (université de Lille – 1995) Stage formation chez IBM France (juin1995 – octobre 1996) Langues parlées : Anglais, espagnol, portugais Expérience professionnelle : Responsable du parc d'ordinateurs aux Établissements Eurocarton (production de cartonnages en gros) (1996 – 1997) Goûts et activités : Brevet de pilote privé (1990) Surf Cinéma

CURRICULUM VITAE
Nom : Pierre TODESCHINI Date de naissance : 15.06.1964 Divorcé – Sans enfant Études / Diplômes : Scolarité secondaire jusqu'en 1980 Expérience professionnelle : – 1982 : apprentissage en mécanique automobile – 1983 : mécanicien motoriste diesel – Transports FEUCHTER-HERRMANN à Münich (Allemagne) – 1986 : chauffeur routier – Transports FEUCHTER-HERMANN à Münich (Allemagne) – 1987 : chauffeur routier – entreprise de déménagements SCALFERTONI à Lyon – 1990 : contremaître à France-Route (transports internationaux) à Grenoble – 1991 : stage de formation en marketing et communication – Centre de formation permanente d'Issy-les-Moulineaux – 1997: chef du personnel aux établissements DUFFAIT (transports routiers) Langues parlées : Italien et allemand Goûts personnels et activités de loisir : Football Lecture Voyages

	1	2	3	4	5	6	7	8
Alain								
Pierre								
favorable (homme)								
défavorable (homme)								
favorable (femme)								
défavorable (femme)								

▦ **157.** ARGUMENTER : NOUVEAU / PAS NOUVEAU

Écoutez et dites de quoi on parle et si le commentaire évoque quelque chose qui est nouveau ou pas nouveau :

	enr.	nou-veau	pas nouveau
un livre			
un film			
une voiture			
un tableau			
un camescope			

	enr.	nou-veau	pas nouveau
la prison			
un bâtiment			
la télévision			
un meuble			
quelqu'un			

▦ **158.** ARGUMENTER : CHER / PAS CHER

Écoutez et dites si on évoque quelque chose de cher ou quelque chose de pas cher :

	cher	pas cher
1.		
2.		
3.		
4.		
5.		
6.		
7.		

	cher	pas cher
8.		
9.		
10.		
11.		
12.		
13.		
14.		

▦ **159.** ARGUMENTER : LAID / BEAU

Écoutez et dites si on évoque quelque chose de laid ou quelque chose de beau :

	beau	laid
1.		
2.		
3.		
4.		

	beau	laid
5.		
6.		
7.		
8.		

📼 160. ARGUMENTER : AGRÉABLE / DÉSAGRÉABLE

Écoutez et dites si l'événement évoqué a été agréable ou désagréable :

	agréable	désagréable
1.		
2.		
3.		
4.		
5.		
6.		
7.		

	agréable	désagréable
8.		
9.		
10.		
11.		
12.		
13.		
14.		

161. ARGUMENTER : CHOISIR UN ARGUMENT

Complétez :

1. Ne craignez rien, c'est .... (dangereux / inoffensif / risqué)

2. .... Je ne vous veux pas de mal.
   (N'ayez pas peur ! / Faites attention ! / Prenez garde !)

3. Je vous préviens ! Méfiez-vous de lui. Je suis sûr qu'il fera tout pour vous
   .... faire votre travail ! (empêcher de / permettre de / aider à)

4. Les risques de crise économique sont .... La bourse est en chute
   libre, le chômage augmente. (infimes / manifestes / minimes)

5. Vous pouvez tout me dire. Je suis un homme très.......................... (indiscret / bavard / discret)

6. Je vous assure : c'est un appareil très ....
   (inefficace / efficace / inutile)

7. Permettez-moi de vous recommander chaleureusement Serge Abbout. C'est un garçon
   .... (énergique / indolent / paresseux)

8. Pourquoi n'allez-vous pas passer quelques jours dans le Lubéron ? C'est une région
   tellement .... (banale / ordinaire / pittoresque)

162. ARGUMENTER :
CHOISIR UN ARGUMENT POSITIF OU NÉGATIF

Complétez :

1. Vous pouvez lui faire confiance, c'est une fille .... et ....
   (sans scrupule / honnête / consciencieuse / calculatrice / brouillonne)

2. Il a beaucoup de défauts. Il est ....
et totalement .... (franc / menteur / inorganisé / efficace)

3. Dans l'ensemble, les résultats sont bons. Claudine est .... en français, par contre, elle est très douée en maths. (excellente / nulle / très régulière / motivée)

4. Ce que j'aime bien dans cet hôtel, c'est qu'il est .... et .... (calme / bruyant / cher / simple)

5. Vous devriez passer par la vallée de Chevreuse : la route est .... et .... (encombrée / plaisante / tranquille / défoncée)

6. J'avoue que je n'aime pas Fabrice : il est .... et .... (sûr de lui / prétentieux / modeste / timide)

7. Moi, je n'aime pas la télévision parce que je trouve que les programmes sont .... et .... (passionnants / creux / inintéressants / variés)

8. J'aime beaucoup cette boutique, tu sais. Les vendeuses sont .... et .... (souriantes / impolies / maussades / attentionnées)

163. (S') APERCEVOIR

A. Complétez :

1. Je me suis vite aperçu .... il me mentait.

2. Il ne s'est pas aperçu .... son erreur.

3. J'aperçois .... au milieu de la foule. (Depardieu / à Depardieu / de Depardieu)

B. Remplacez le verbe « (s') apercevoir » par un synonyme :

1. **Je me suis aperçu** qu'il était fatigué.
   J'ai conclu ❏   J'ai remarqué ❏   J'ai estimé ❏

2. Je l'ai **aperçu** au milieu de la foule.
   découvert ❏   deviné ❏   repéré ❏

3. Vous allez très vite **vous apercevoir** que j'avais raison.
   vous rendre compte ❏   conclure ❏   repérer ❏

4. Il **s'est aperçu** que c'était moi qui avais écrit ce texte.
   a pensé ❏   a estimé ❏   a remarqué ❏

164. CHERCHER

Complétez :

1. Ne cherche pas .... me revoir ! (à / de)

2. Je vais chercher ....
   (votre manteau / à votre manteau / de votre manteau)

3. Est-ce que vous pouvez chercher .... elle habite toujours à la même adresse ?
   (si / qu')

4. Il n'y a plus de sel. Tu peux aller .... chercher à la cuisine ?

5. Je n'ai pas cherché .... leur parler. (de / à)

6. – Je pourrais avoir de l'eau ?
   – Je vais vous .... chercher tout de suite.

7. Il est où Gaston ? Le patron .... cherche partout !

8. Si quelqu'un .... cherche, je suis chez moi.

165. CHOISIR

Complétez :

1. Il a choisi .... rester en France.

2. Je n'arrive pas à choisir .... ces deux modèles. (à / entre / de)

3. Je crois que je vais choisir .... moins cher des deux. (le / au / entre)

4. .... choisissez-vous ? (Auquel / Lequel / Duquel)

5. Si ça ne vous plaît pas, vous .... choisissez un autre.

166. ESPÉRER

A. Complétez :

1. J'espère .... ça ira mieux demain.

2. Je n'espère plus qu'il .... à son examen. (réussit / réussisse / réussirait)

3. J'espère .... meilleurs. (à des jours / des jours)

4. J'espère .... là avant la nuit. (à être / d'être / être)

5. Je n'espère plus rien .... sa part.

B. Remplacez le verbe « espérer » par un synonyme :

1. J'**espère** de bonnes nouvelles de mes enfants.
   J'attends ☐   Je compte sur ☐   J'ai besoin ☐

2. J'**espère** retrouver du travail rapidement.
   Je souhaite ☐   J'ai l'intention de ☐   J'ai besoin de ☐

3. J'ai toujours **espéré** le grand amour.
   nécessité ☐   compté sur ☐   attendu ☐

167. OUBLIER

A. Complétez :

1. J'ai oublié .... fermer la porte.

2. J'avais oublié .... tu n'aimais pas le fromage.

3. J'ai oublié .... Tu sais comment il s'appelle ?
   (à son nom / de son nom / son nom)

B. Remplacez le verbe « oublier » par un synonyme :

1. J'ai **oublié** l'heure.
   perdu ❑ égaré ❑ négligé ❑

2. J'ai **oublié** mon attaché case dans le métro.
   perdu ❑ abandonné ❑ négligé ❑

3. Avant de quitter l'avion, vérifiez que vous n'avez rien **oublié**.
   perdu ❑ abandonné ❑ laissé ❑

4. J'avais **oublié** de me présenter. Claude Petit, je suis journaliste.
   omis ❑ manqué ❑ égaré ❑

168. PRÉVENIR (SENS ET SYNTAXE DES VERBES)

A. Complétez :

1. Je vous préviens .... je ne tolérerai aucune absence injustifiée !

2. Je voudrais vous prévenir .... une chose : ici, il n'y a pas d'horaires !

3. Est-ce que vous .... avez prévenu à temps ? (lui / l' / y)

B. Remplacez le verbe « prévenir » par un synonyme :

4. Mon travail consiste à prévenir tout risque d'accident.
   éviter ❑ anticiper ❑ alerter ❑

5. Préviens-moi, en cas de problème.
   Évite-moi ❑ Parle-moi ❑ Avertis-moi ❑

6. Je vous avais prévenu ! Vous êtes viré !
   informé ❑ parlé ❑ averti ❑

7. Est-ce que vous l'avez prévenu de mon arrivée ?
   évité ❑ alerté ❑ informé ❑

8. Si vous continuez, je préviens la police.
   j'évite ❑ j'appelle ❑ vais à ❑

169. RECONNAÎTRE (SENS)

Reformulez les phrases en utilisant « admettre », « identifier » ou « visiter » :

1. Je reconnais mes erreurs.

....

2. Je l'ai reconnu à son rire.

....

3. Il a reconnu les lieux avant le tournage du film.

....

4. Est-ce que vous reconnaissez quelqu'un sur cette photo ?

....

5. Le public a enfin reconnu son immense talent.

....

B. Mettez en relation les phrases des deux colonnes qui ont le même sens :

1. Il a reconnu ses méfaits.   A. Il a changé

2. Il n'a pas reconnu les faits.   B. Il a nié.

3. Si tu voyais Henri, tu ne le reconnaîtrais pas.   C. Il a avoué.

4. Il a reconnu son fils illégitime.   D. Il est parti repérer les lieux.

5. Il est allé reconnaître le terrain.   E. C'est son père.

170. REGRETTER / AVOIR LE REGRET

Complétez :

1. Je regrette .... ne pas être là pour ton anniversaire.

2. Nous regrettons tous beaucoup que tu ne .... pas être parmi nous pour les fêtes de fin d'année. (peux / pourras / puisses)

3. Je regrette .... J'aimerais que tu me pardonnes.
   (de mon geste / mon geste / à mon geste)

4. J'ai le regret .... vous annoncer que votre candidature n'a pas été retenue.

Exposer, prendre la parole

171. LES PRONOMS RELATIFS

Complétez en utilisant « qui », « que » ou « dont » :

1. C'est une journée .... je me rappellerai toute ma vie.

2. C'est une fille .... j'ai connue au lycée.

3. C'est le seul .... soit capable de résoudre ce problème.

4. La question .... je vais vous entretenir pendant plus d'une heure est la suivante…

5. Il a connu un destin .... rêvent peut-être beaucoup d'entre vous.

6. C'est un ouvrage .... vous devez absolument lire.

7. C'est une anecdote .... n'est connue que par très peu de gens.

8. Il s'est passé un événement .... les journaux n'ont pas parlé.

172. LES PRONOMS RELATIFS

Complétez :

1. C'est un livre auquel .... beaucoup.
   (je tiens / j'aime / j'apprécie)

2. Je vais te présenter le garçon dont .... hier.
   (j'ai rencontré / je t'ai parlé / j'ai connu)

3. René, c'est un vieil oncle pour qui ....
   (j'aime beaucoup / j'ai beaucoup d'affection / j'estime beaucoup)

4. Roger est un ami en qui ....
   (j'ai une grande amitié / je suis très fier / j'ai toute confiance)

5. Voilà des vacances dont .... toute ma vie !
   (je me souviendrai / je me rappellerai / je garderai en mémoire)

6. Les amies à qui elle .... lui ont rendu courage.
   (s'est informée / a consultées / s'est confiée)

7. Robert ne sait rien du pays où ....
   (il se rend / il visite / il parcourt)

8. Catherine est une personne dont ....
   (on critique beaucoup / on dit beaucoup de mal / on calomnie injustement)

173. LES PRONOMS RELATIFS : EMPLOI AVEC UNE PRÉPOSITION

Complétez les phrases en choisissant la préposition qui convient (à, avec, dans, pour, grâce, chez, sans, pendant, devant, de, sur, selon) :

1. Rosine est une amie .... qui je peux compter.

2. J'ai un sac .... lequel je mets toutes mes affaires de classe.

3. L'hypothèse .... laquelle la maladie de la vache folle serait transmissible à l'homme a été confirmée.

4. J'ai perdu une valise .... laquelle je n'avais pas inscrit mon nom et mon adresse.

5. André est quelqu'un .... qui je fais tout à fait confiance.

6. L'adolescence est une période .... laquelle beaucoup de jeunes gens éprouvent des difficultés.

7. Je ne te dirai pas le nom de la personne .... qui je tiens cette information.

8. José a fait des économies .... auxquelles il a pu s'acheter un petit appartement en Espagne.

174. CONSTRUCTION DE QUELQUES LOCUTIONS VERBALES

Complétez :

1. C'est quelqu'un .... j'ai tout à fait confiance. (en qui / auquel / pour qui)

2. C'est une fille .... j'ai la plus grande estime.
(à laquelle / pour qui / en qui)

3. La seule chose .... j'ai envie, c'est d'aller me coucher.
(dont / que / à laquelle)

4. Il y a une chose .... tu dois être attentif pendant tout le vol : c'est l'altimètre. (dont / à quoi / à laquelle)

5. Le coiffeur .... je vais est un véritable artiste. (où / chez lequel / que)

6. L'amour est un sentiment .... on ne peut s'empêcher de croire.
(qu' / dont / auquel)

7. Malheur à celui .... le scandale arrive ! (par qui / à qui / de qui)

8. Il y a une colline au pied .... passe une petite route tranquille.
(de laquelle / dont / de qui)

175. VOCABULAIRE : LE VERBE « TENIR »

Mettez en relation les phrases qui ont le même sens dans chacune des deux colonnes :

1. Je tiens beaucoup à lui.

2. Claude tient beaucoup de son père.

3. Ça y est ! Je tiens le bon bout !

4. Je tiens à vous annoncer personnellement la bonne nouvelle.

5. Ne tenez pas compte de ce que j'ai dit.

6. J'espère que ma voiture va tenir le coup !

7. Tiens bon ! J'arrive !

8. Il tient tête à tout le monde.

9. Est-ce que tu peux me tenir mon sac quelques instants ?

10. Il ne tient pas sa droite.

A. Il roule à gauche.

B. Je veux vous l'annoncer moi-même.

C. J'espère qu'elle ne tombera pas en panne.

D. J'ai beaucoup d'affection pour lui.

E. Il s'oppose à tout le monde.

F. Est-ce que tu peux prendre ça deux minutes ?

G. Résiste encore un moment !

H. Oubliez ce que j'ai dit.

I. Il ressemble à son père.

J. C'est presque fini.

176. LA NOMINALISATION

Complétez en utilisant une forme nominale représentant l'action du verbe en caractères gras :

1. Si vous voulez vous **abonner**, remplir la fiche d'............................ ci-jointe.

2. 40 % des Français **se sont abstenus** de voter. Il s'agit d'un taux d'............................ exceptionnel.

3. Nous allons **accueillir** plus de 200 personnes ce week-end.
   Qui se charge de l'............................ ?

4. Il y avait 800 candidats au concours d'............................ Nous en **avons admis** 250.

5. Vous **avez affirmé** que des élections auraient lieu prochainement. Pouvez-vous nous confirmer cette .... ?

6. Je l'**aime**. On ne peut rien contre l'............................

7. Le temps va **s'améliorer** demain, mais cette .... sera passagère.

8. En été, les rues **sont animées**, mais cette .... disparaît en hiver.

9. Pour **annuler** votre commande, remplir le formulaire d'............................ ci-joint.

10. Nous **nous sommes associés** en 1977. Cette .... nous a permis de doubler notre chiffre d'affaire.

177. LA NOMINALISATION

Complétez en utilisant une forme nominale représentant l'action du verbe en caractères gras :

1. Avant d'**assurer** votre voiture, lire attentivement le contrat d' ....

2. Il va falloir **attendre**. Si vous voulez, je peux vous inscrire sur la liste d'............................

3. Il passe des heures à **bavarder**. Je ne supporte plus ses ....

4. Il **s'est blessé** en tombant, mais ses .... ne sont pas graves.

5. Si vous voulez **boire**, il y a des .... fraîches dans le frigo.

6. Voilà, j'**ai** tout **branché**. Tu peux vérifier les .... ?

7. Si vous désirez **bronzer** en toute sécurité, il est conseillé d'utiliser une crème de ....

8. Vous **avez choisi** ce modèle. Je crois que vous avez fait le bon ....

9. J'**ai** déjà **collaboré** avec lui sur plusieurs projets. Cette .... a toujours été très efficace.

10. Je ne le **connais** pas très bien. J'ai fait sa .... il y a quelques jours seulement.

178. LA NOMINALISATION

Complétez en utilisant une forme nominale représentant l'action du verbe en caractères gras :

1. Vous ne pouvez pas **emprunter** d'argent. Vous avez déjà fait plusieurs ....

2. Si vous vous **ennuyez**, j'ai un bon remède contre l'...

3. Venez **essayer** nos nouveaux modèles. Si cet .... vous a convaincu, contactez notre agence commerciale.

4. Je **me suis coupé** avec un couteau, mais la .... n'est pas grave.

5. Les passagers pour le vol AF 632, à destination de Tokyo, sont priés d'**embarquer** immédiatement. Je répète : vol AF 632, ... immédiat !

6. Il **a évoqué** son enfance. Cette .... était très émouvante.

7. **A**-t-il vraiment **existé** ? Beaucoup contestent son ....

8. J'ai essayé de lui **expliquer** mon programme. Je ne crois pas qu'il ait bien compris mes ....

9. Travaillez l'................................. orale, si vous voulez vous **exprimer** sans difficulté en français.

10. Une bombe **a explosé**. L '................................. a brisé les vitres des immeubles du quartier.

179. LA NOMINALISATION

Complétez en utilisant une forme nominale représentant l'action du verbe en caractères gras :

1. C'**est fermé**. Vous n'avez pas lu l'affiche ? C'est écrit « .... annuelle ».

2. Ce n'**est** pas encore **ouvert**. L'................................. est pour demain.

3. L'usine **a été fondée** par mon arrière-grand-père. Nous fêterons cette année le centenaire de sa ....

4. Il **a été formé** par le professeur Lenotre. Il a donc reçu une excellente ....

5. Vous allez **guérir** dans quelques jours. Après votre ...., je vous conseille quelques jours de repos.

6. Claude Guérin **connaît** très bien la forêt amazonienne. Cette .... de l'environnement sera utile à l'expédition.

7. Nous **sommes arrivés** à minuit passé. À cause de cette .... tardive, nous n'avons pas pu visiter la ville.

8. J'ai dû faire **contrôler** ma voiture et ce .... technique m'a coûté près de 2500 francs !

9. À cause du brouillard, les voitures ont dû **ralentir** et ce .... est à l'origine des bouchons à la sortie de l'autoroute.

10. Il faut **visiter** notre ville ! Je vous assure qu'elle vaut la .... !

180. LA NOMINALISATION

Complétez en utilisant le verbe qui correspond à la forme nominale en caractères gras :

1. Vous pouvez .... tout ce que vous voulez. Les **consommations** sont gratuites.

2. Faire .... les pâtes dans de l'eau bouillante salée. Temps de **cuisson** : 10 minutes.

3. Il doit .... cela dans la journée. Vous serez informé de sa **décision** dans la soirée.

4. Pour vous ...., vous devez vous adresser au bureau des **inscriptions**.

5. Je vais bientôt .... Tu pourras m'aider pour le **déménagement** ?

6. Si vous voulez ...., vous devez vous adresser à l'Office National d'**Immigration**.

7. Il vient de faire un **héritage**. Il .... de son oncle Georges.

8. Surtout pas d'**hésitation**. Moi, j'ai accepté sans ....

9. Il faudra vous .... Pour cela, je vais vous donner un numéro d'**identification**.

10. Il faut .... Avec un peu d'**insistance**, je suis sûr que vous obtiendrez de bons résultats.

181. LA NOMINALISATION

Complétez en utilisant la forme nominale qui correspond au verbe en caractères gras :

1. Je vais vous **installer** un nouveau programme de gestion. Je vous explique comment ça fonctionne dès que j'ai terminé l'..

2. Je l'**ai** longuement **questionné**, mais il n'a pas répondu à toutes mes ....

3. Vous pouvez l'**inviter**, mais je ne sais pas si elle acceptera votre ....

4. Nous allons **lancer** dans l'espace un satellite de télécommunication. Le .... est prévu pour le 12 décembre.

5. J'**ai lavé** ta chemise, mais elle a rétréci au ....

6. Je n'ai plus le temps de **lire**, pourtant j'adore la ....

7. Si vous ne trouvez pas de ...., vous pouvez **loger** quelques jours à la maison.

8. Je voudrais **louer** une voiture. Vous pouvez m'indiquer une agence de .... ?

9. Vous **êtes né** en France. Quelle est votre date de .... ?

10. Je fais du théâtre pour **m'occuper**, mais j'ai d'autres ....

182. LA NOMINALISATION

Complétez en utilisant le verbe qui correspond à la forme nominale en caractères gras :

1. Je vais vous .... L'**opération** aura lieu demain matin.

2. Vous allez tout .... On m'a dit que vous aviez le sens de l'**organisation**.

3. Effectivement, nous .... de vous prévenir. Je m'excuse pour cet **oubli**.

4. Nous allons .... l'aile droite du château. La **visite** durera 20 minutes.

5. C'est une **perte** de temps inutile. J'ai horreur de .... mon temps !

6. Qui vous .... d'entrer ? Vous ne m'en avez pas demandé la **permission** !

7. Je .... le programme moi-même ou c'est vous qui faites les **présentations** ?

8. En mars, nous n'... que 12 000 voitures. Il faudra augmenter la **pro-duction** en avril.

9. On va ...., et après la **promenade,** vous pourrez regarder la télé.

10. Il .... beaucoup de choses, mais il ne respecte pas souvent ses **pro-messes**.

183. LA NOMINALISATION

Complétez en utilisant la forme nominale qui correspond au verbe en caractères gras :

1. Il n'y a aucune .... : la maison n'**est protégée** par aucun système de sécurité.

2. Ce n'est pas la peine de **protester**. Il n'admet pas la ....

3. Après la .... de son premier roman en 92, il n'**a** plus rien **publié**.

4. Après **avoir réalisé** plusieurs courts métrages, il travaille à la .... d'un film sur la Révolution française.

5. Je vais le **recevoir**. Dites-lui de m'attendre à la ....

6. Il ne **rédige** pas d'article, mais il travaille à la .... du journal.

7. Vous m'aviez promis de me **rembourser**. J'attends toujours mon ....

8. Je vous **remercie**. Et soyez sûr que mes .... sont sincères.

9. Cela vous fera 150 francs pour le .... de la courroie de ventilateur. Voulez-vous que je vous **remplace** aussi les bougies ?

10. Je ne garantis pas la .... Je l'**ai réparé** moi-même.

184. LA NOMINALISATION

Complétez en utilisant la forme nominale qui correspond au verbe en caractères gras :

1. Ne lui **confie** aucun secret ! Je n'ai pas .... en lui.

2. Nous allons **répéter** la scène. Tout le monde en place pour la .... !

3. Vous n'**avez** pas **réservé** ? Désolé, mais vous ne pouvez pas entrer sans .... !

4. Je **suis satisfait**. Ce matériel m'a donné entière ....

5. Ils **se sont séparés** plusieurs fois. La dernière .... date de la semaine dernière.

6. Vous devez **signer**. J'ai besoin d'une .... en bas, à droite.

7. Nous avons reçu de nombreux .... de sympathie. Tous **témoignent** de la popularité de Paul Simon.

8. Votre roman **a été traduit** en plusieurs langues. Que pensez-vous de la .... française de votre livre ?

9. Cet appareil est très facile d'... Un enfant de 4 ans pourrait l'**utiliser**.

10. Il faut **verser** 200 francs à la commande et le solde en six .... de 456 francs.

185. LA NOMINALISATION

Complétez :

1. On ne peut pas **se baigner**. Il y a un panneau « .... interdite ». (baignoire / baigneur / baignade)

2. Je vous **ai commandé** un téléviseur et je n'ai toujours pas reçu .... (mon commandement / ma commande / mon commandant)

3. Vous **avez compté** ? Les bons .... font les bons amis. (compteurs / comptes / comptages)

4. J'**espérais** partir à l'étranger. L'... fait vivre. (espoir / espérance / expérience)

5. J'**habite** dans une HLM. HLM, ça signifie .... à Loyer Modéré. (Habitat / Habitant / Habitation)

6. Les écologistes **agissent** pour la défense de l'environnement et j'approuve chaleureusement leurs .... (actions / actes / agissements)

7. Il faut **garnir** la pâte brisée et répandre deux cuillerées à soupe de sucre sur .... de fruits. (le garnissage / la garniture / la garnison)

8. Désolé, Monsieur Perrin : le poisson n'**est** pas **arrivé**. Attendez l'... de demain. (arrivée / arrivisme / arrivage)

📼 186. LES MOMENTS D'UNE PRISE DE PAROLE

Écoutez et dites s'il s'agit du début, du milieu ou de la fin d'une prise de parole. Identifiez l'expression utilisée :

enr.	expression utilisée	début	milieu	fin
1.				
2.				
3.				
4.				
5.				
6.				
7.				
8.				

📼 187. LES MOMENTS D'UNE PRISE DE PAROLE

Écoutez l'orateur et dites s'il est au début, au milieu, ou à la fin de son discours. Indiquez l'expression qui vous a permis d'identifier le passage du discours :

enr.	début	milieu	fin	expression utilisée
1.				
2.				
3.				
4.				
5.				
6.				
7.				
8.				
9.				
10.				

188. PRÉFIXATION EN « RE- » (VERBES)

Reformulez les phrases en utilisant le préfixe « re- », « ré- » ou « r- » :

1. Je me suis abonné pour un an supplémentaire au *Nouvel Observateur*.

....

2. Je l'ai appelé à nouveau.

....

3. Je l'ai vu pour la deuxième fois ce matin.

....

4. J'ai de nouveau branché la prise.

....

5. Elle a changé les meubles de place une nouvelle fois.

....

6. J'ai encore déménagé !

....

7. Je vais peindre en bleu la chambre jaune.

....

8. J'ai organisé de façon différente le service d'accueil.

....

189. PRÉFIXATION EN « RE- » (NOMS)

Dites si le nom en « re- » ou « ré- » exprime une répétition (exemple : reformulation / formulation). Si oui, écrivez ce nom :

1. J'ai une réunion à 10 heures. ....

2. Les syndicats ont demandé une renégociation de la durée
du temps de travail. ....

3. Il m'a adressé ses remerciements. ....

4. Je dois faire une relecture de son manuscrit. ....

5. Je souhaite une réévaluation de mes dettes. ....

6. Est-ce que vous pouvez me faire un petit résumé de la situation ? ....

7. On assiste à un refroidissement de la planète. ....

8. J'exige une redéfinition de nos objectifs. ....

9. La réorganisation de nos services va prendre plus de temps
que prévu. ....

10. Il prépare une nouvelle réglementation du droit d'asile. ....

190. PRÉFIXATION EN « IN- » OU « IM- » (NOMS) :

Dites si le nom en « in- » ou « im- » est le contraire d'un autre nom (exemple : précision / imprécision). Si oui, écrivez ce nom :

1. Il a agi avec beaucoup d'imprudence. ....

2. Il a fait preuve de beaucoup d'ingéniosité. ....

3. Il m'a regardé avec incompréhension. ....

4. Je ne comprends pas votre impatience. ....

5. Il a fait preuve d'injustice. ....

6. On a remarqué son intelligence. ....

7. Les médias ont souligné son impopularité. ....

8. Interdiction de stationner. ....

9. Je ne supporte pas l'immobilité. ....

10. Le Premier ministre a souligné l'instabilité du franc. ....

191. PRÉFIXATION EN « IN- » OU « IM- » (ADJECTIFS) :

Dites si l'adjectif en « in- » ou « im- » est le contraire d'un autre adjectif (exemple : impossible / possible). Si oui, écrivez ce nom :

1. C'est un garçon très imaginatif. ....

2. Je le trouve un peu trop imprudent. ....

3. Votre dossier est incomplet. ....

4. Je vais vous faire un contrat à durée indéterminée. ....

5. C'est très immoral ! ....

6. C'est une décision imbécile. ....

7. Tout cela était parfaitement imprévisible. ....

8. On a fait une réunion informelle. ....

9. C'est une attitude incompréhensible. ....

10. Ils sont innocents. ....

192. PRÉFIXATION EN « DÉ- »

Dites, pour chaque couple de phrases, si les actions exprimées par les verbes sont inverses ou non :

	inverse	pas inverse
1. J'**ai décollé** le papier peint. J'**ai collé** un timbre sur l'enveloppe.		
2. Christophe Colomb **a découvert** l'Amérique. Il **a couvert** son livre.		
3. Le lavabo **est bouché**. Je vais **déboucher** une bouteille.		
4. Tu peux **débrancher** la télévision. Tu peux **brancher** la prise ?		
5. Je vais **chausser** mes bottes. Vous devez vous **déchausser** avant d'entrer.		
6. J'ai oublié de **me coiffer** ce matin. Avec ce vent, je **suis** complètement **décoiffée**.		
7. Il sait **se défendre**. Je vais **fendre** du bois.		
8. Est-ce que vous pouvez **définir** votre projet en quelques mots ? Je viens de **finir** mon projet.		

193. COMMENCER

A. Complétez :

1. J'ai commencé .... vers 5 heures du matin. (de dormir / à dormir / dormir)

2. Je n'ai pas encore commencé ....
   (à mon rapport / de mon rapport / mon rapport)

B. Remplacez « commencer » par un synonyme :

1. J'**ai commencé** ma carrière dans un petit théâtre de banlieue.
   ai débuté ❑   ai initialisé ❑   suis né ❑

2. J'**ai commencé** un régime pour maigrir.
   ai entrepris ❑   ai amorcé ❑   ai ouvert ❑

3. C'est lui qui **a commencé** la discussion.
   a créé ❑   a entrepris ❑   a entamé ❑

4. Le mouvement surréaliste **a commencé** dans les années 20.
   a entamé ❑   est né ❑   s'est ouvert ❑

5. J'**ai commencé** les premiers contacts avec son équipe.
   J'ai amorcé ❑   J'ai fondé ❑   J'ai attaqué ❑

6. Les coureurs **ont commencé** l'ascension de l'Alpe d'Huez.
   ont ouvert ❑   ont attaqué ❑   ont initialisé ❑

7. Nous pouvons **commencer** la séance.
   ouvrir ❑   attaquer ❑   entreprendre ❑

8. C'est mon grand-père qui **a commencé** l'entreprise.
   a fondé ❑   est né ❑   a amorcé ❑

9. La France **a commencé** son redressement économique.
   a ouvert ❑   a créé ❑   a amorcé ❑

10. J'**ai commencé** à réorganiser le Centre de documentation.
    J'ai entrepris de ❑   J'ai entamé de ❑   J'ai débuté à ❑

194. ACHEVER (SENS ET SYNTAXE)

A. Complétez :

1. J'ai achevé .... dans les délais. (à mon travail / de mon travail / mon travail)

2. J'aurai achevé .... réparer la voiture en fin de journée.

B. Remplacez « achever » par un synonyme :

1. Il est parti sans **achever** son repas.
   finir ❑   aboutir ❑   prendre fin ❑

2. La seconde guerre mondiale **s'est achevée** en 1944.
   a abouti ❑   a pris fin ❑   s'est conclue ❑

3. « Et maintenant, je souhaite bonne chance à tous », **a**-t-il **achevé**.
   a conclu ❑   a pris fin ❑   a abouti ❑

195. QUELQUES SENS PARTICULIERS DE « UN » ET « UNE »

Mettez en relation les phrases de la première colonne avec les mots de la deuxième colonne :

1. Il n'en a pas décroché **une** de toute la soirée.   A. double utilisation

2. Sa photo est à **la une** de tous les journaux.   B. le roi

3. La République est **une** et indivisible.   C. la première page

4. Il y a un bon film sur **la une**.   D. TF1

5. C'est le **numéro un** de la chaussure.   E. une parole

6. C'est un produit **2 en 1**.   F. unique

196. PRÉFIXATION EN « RE- » OU « DE- » (VERBES)

Comparez les verbes des deux colonnes et dites s'ils expriment une répétition (verbes en « re- »), ou le contraire (verbes en « de- ») les uns par rapport aux autres, ou s'il s'agit d'un autre sens :

		répétition	contraire	autre sens
1. Je vais **réchauffer** le rôti.	Tu fais **chauffer** du lait ?			
2. J'**ai dépensé** beaucoup d'argent.	J'ai beaucoup **pensé** à toi.			
3. J'**ai défait** ma valise.	J'ai **fait** le lit.			
4. Tu peux **refaire** les comptes ?	Je **fais** mon travail.			
5. Je **recommence** à zéro.	La séance va **commencer**.			
6. Je vais **rejouer** le cinq.	Tu sais **jouer** aux échecs ?			
7. **Déshabillez-vous** !	Je vais **m'habiller**.			
8. Vous pouvez **découper** le poulet ?	Attention ! Tu vas te **couper** !			
9. Vous devez **déconnecter** l'écran.	Voilà, j'**ai connecté** tous les câbles.			
10. Vous pouvez me **répondre** rapidement ?	Une poule, ça **pond** combien d'œufs par jour ?			

197. VOCABULAIRE : VERBE « PRENDRE »

Mettez en relation les phrases qui ont le même sens dans chacune des deux colonnes :

1. J'ai pris froid à la piscine.

2. Françoise a mal pris mes reproches.

3. Le boxeur a pris des coups.

4. L'enfant a pris peur en voyant le gros chien.

5. Excuse-moi, je t'ai pris pour quelqu'un d'autre.

6. Prends garde à toi !

7. Claude s'est décidé à prendre femme.

8. Je ne sais pas combien le dentiste va me prendre.

9. Jean prend sa retraite l'année prochaine.

A. Il s'est enfin marié.

B. J'ignore le prix de son intervention.

C. Mes paroles l'ont blessée.

D. Fais attention !

E. Il va prochainement arrêter de travailler.

F. Je me suis enrhumé.

G. Je t'ai confondu avec une autre personne.

H. Il a été frappé.

I. Il a été effrayé.

198. VOCABULAIRE : VERBE « PRENDRE »

Mettez en relation les phrases qui ont le même sens dans chacune des deux colonnes :

1. Le voleur a pris la fuite avant l'arrivée de la police.

2. Qu'est-ce qui te prend ? Pourquoi tu ris ?

3. Avec moi, ce genre de ruse ne prend pas.

4. Le patron s'en est pris à moi.

5. Ne fais pas comme ça : tu t'y prends mal.

6. Il faut attendre que la colle prenne.

7. J'ai dû m'y reprendre à plusieurs fois.

8. La police l'a pris à 200 km/h sur l'autoroute.

9. Jean-François ? Il se prend trop au sérieux !

10. Même si tu n'aimes pas ce boulot, il faut prendre sur toi, mon vieux !

A. Tu ne sais pas bien faire.

B. Il s'est fait arrêter pour excès de vitesse.

C. Il faut qu'elle sèche et durcisse.

D. Il faut faire des efforts de bonne volonté.

E. J'ai dû recommencer le travail.

F. Il se considère comme très important.

G. Qu'est-ce que tu as ?

H. Je ne me laisse pas tromper.

I. Il s'est échappé.

J. Il m'a fait des reproches.

199. EXPRESSIONS MÉTAPHORIQUES ET POPULAIRES : EMPLOI DE PRONOMS

Dans les expressions suivantes, dites ce que représente le pronom :

1. Écoute, je vais t'**en** raconter une bien bonne. ....

2. Tu sais, Robert, c'est un homme heureux : il se **la** coule douce. ....

3. On a vraiment beaucoup mangé : on s'**en** est mis jusque-là ! ....

4. À la fin du repas, comme d'habitude, Vincent **en** a poussé **une**. ....

5. Ça suffit ! Ferme-**la** ! ....

6. Il m'énervait. Alors, il s'**en** est pris **une** ! ....

7. On se **les** gèle ! ....

8. J'**en** ai entendu de belles sur son compte. ....

9. Il s'**en** est mis plein les poches. ....

10. Il ne **l'**a pas ouverte de toute la soirée. ....

(la nourriture / les fesses / une chanson / de l'argent / des informations / la bouche / une gifle / une histoire / la vie)

200. LA COMPARAISON : EXPRESSIONS IMAGÉES

Indiquez le sens de la comparaison en choisissant l'expression qui correspond :

1. Le plombier a fait ce travail à la va comme je te pousse.
   Il a travaillé très vite. ❑
   Il a travaillé n'importe comment. ❑
   Il n'a pas travaillé du tout. ❑

2. Nous avons été reçus comme des chiens dans un jeu de quilles.
   Nous avons été très mal accueillis. ❏
   Nous avons été reçus chaleureusement. ❏
   Personne n'est venu nous attendre. ❏

3. Quand je suis entré sans la classe, on m'a regardé comme une bête curieuse.
   J'ai regardé tout le monde avec curiosité. ❏
   On m'a reproché d'être trop curieux. ❏
   Tout le monde m'a regardé avec insistance. ❏

4. À la fin du film, Rosine a pleuré comme une Madeleine.
   Elle a pleuré toutes les larmes de son corps ❏
   Elle a retenu ses larmes. ❏
   Ses yeux sont restés secs. ❏

5. René tient à sa voiture comme à la prunelle de ses yeux.
   Il aime beaucoup sa voiture. ❏
   Sa voiture est très belle. ❏
   Il se préoccupe peu de sa voiture. ❏

6. Tu es heureux comme un roi !
   Tu as beaucoup de soucis. ❏
   Tu as vraiment de la chance. ❏
   Tu es très heureux. ❏

7. Habillé comme ça, tu es beau comme un astre.
   Tu es très beau. ❏
   Tu as des habits neufs. ❏
   Tu es habillé trop discrètement. ❏

8. Mais c'est simple comme bonjour !
   Il y a quelques petites difficultés. ❏
   C'est très facile. ❏
   C'est difficile. ❏

201. LA COMPARAISON

Complétez les phrases avec le mot qui convient, puis indiquez le sens de la comparaison en choisissant l'expression qui correspond :

1. Tu .... comme un chat ! (manges / écris / cours)
   Cette expression signifie : tu manges très vite. ❏
                                tu écris très mal. ❏
                                tu cours bien. ❏

2. Je .... comme de l'an quarante de ce qu'Elise m'a dit.
   (me moque / me souviens / suis content)
   Cette expression signifie : je me rappelle exactement ce qu'elle m'a dit. ❏
                                je ne me soucie absolument pas de ce qu'elle m'a dit. ❏
                                je suis très satisfait de ce qu'elle m'a dit. ❏

3. Il .... comme un phoque en montant les escaliers. (peine / marche / souffle)
   Cette expression signifie : il a une démarche ridicule. ❏
                                il respire bruyamment. ❏
                                il est beaucoup trop gros. ❏

4. Méfie-toi de Denise : elle est .... comme la gale.
   (méchante / féroce / atroce)
   Cette expression signifie :   elle est violente. ❏
                                 elle est malfaisante. ❏
                                 elle est hypocrite. ❏

5. C'est un garçon qui .... toujours comme un chat sur ses pattes.
   (saute / se déplace / retombe)
   Cette expression signifie :   il sait se tirer de situations difficiles. ❏
                                 il est très souple. ❏
                                 c'est un athlète complet. ❏

6. C'est incroyable ! Jean-Pierre, il est sérieux comme ....
   (un croque-mort / un pape / un marchand de vin)
   Cette expression signifie :   il ne plaisante jamais. ❏
                                 il a toujours le mot pour rire. ❏
                                 il travaille bien. ❏

7. Ce garçon, je ne l'aime pas trop : il est raide comme ....
   (la justice / la loi / la liberté)
   Cette expression signifie :   c'est un joyeux plaisantin. ❏
                                 il n'est pas très drôle. ❏
                                 il a beaucoup d'humour. ❏

Rédiger

202. REPÉRAGE DES MARQUEURS TEMPORELS ET ARTICULATEURS LOGIQUES

Relevez dans le texte d'une part les éléments qui indiquent le temps, et d'autre part les articulateurs logiques :

Il y a eu hier, sur l'autoroute A9, un gigantesque accident. En raison du brouillard très épais, un camion a percuté une voiture de tourisme ; après cette première collision, six autres véhicules n'ont pas pu s'arrêter à temps et sont ainsi venus créer un énorme carambolage. Peu après, une personne qui voulait porter secours aux blessés a été renversée par un véhicule sur l'autre voie de l'autoroute. À cause de cet autre accident, un accrochage s'est produit sur l'autre voie. Il y a donc eu dans ce carambolage un mort, trois blessés graves et plusieurs blessés légers. Grâce à la diligence des secours, les blessés ont été transportés à l'hôpital de Marseille. Une fois de plus, les causes de ce dramatique accident sont le brouillard et la vitesse excessive sur autoroute.

marqueurs temporels	articulateurs logiques

203. AFFINER SON STYLE

Récrivez le texte en utilisant les pronoms relatifs, les articulateurs logiques, des appositions, etc :

Aujourd'hui, beaucoup de personnes connaissent des problèmes sentimentaux. Elles vivent souvent seules. Elles sont parfois mariées. Elles écrivent au courrier du cœur d'un journal. Elles consultent des voyantes. Elles téléphonent aux animateurs d'émissions de radio spécialisées. Elles pensent que ces « spécialistes » peuvent les aider. Elles ne sont pas capables d'analyser elles-mêmes la situation. Elles n'ont personne à qui se confier. Leur solitude est vraiment grande. Elles sont souvent timides et réservées. Elles craignent les indiscrétions. Elles choisissent l'anonymat de ces interlocuteurs. Pour elles, ce sont des oreilles amies. Elles peuvent enfin exprimer leur angoisse et leur mal de vivre.

....
....
....
....
....
....
....
....
....
....

204. AFFINER SON STYLE (SIMPLIFIER SON EXPRESSION)

Récrivez les phrases suivantes en évitant l'accumulation des propositions relatives :

La pollution est un fléau majeur qui met en danger la vie de la planète que l'homme est en train de détruire et dont il épuise les ressources qui feront demain défaut aux générations futures.

....

....

....

L'apprentissage d'une langue étrangère est une ouverture sur une autre culture qui enrichit celui qui apprend et qui lui permet de confronter son mode de pensée à celui d'autres hommes dont il découvre les différences et qu'il apprend à connaître et à aimer.

....

....

....

205. AFFINER SON STYLE

Récrivez le texte suivant en le structurant au moyen d'articulateurs :

Antoine est un garçon très déplaisant. Il ne fait que ce qui lui plaît. Il ne se préoccupe absolument pas des autres. Tout le monde doit être à sa disposition. Il est présent ; personne n'existe plus. On lui demande un petit service ; il fait comme s'il n'avait pas entendu. Il n'écoute pas les autres. Il leur coupe la parole. Il ne s'intéresse qu'à lui-même. Quelqu'un se moque gentiment de lui ; il se met en colère. Il a réussi à se faire détester de tout le monde.

....

....

....

....

....

....

....

....

206. AFFINER SON STYLE

Récrivez le texte suivant en le simplifiant et en le structurant au moyen d'articulateurs :

J'aimerais bien voyager et partir droit devant moi pour visiter les cinq continents et voir vivre les gens d'autres pays et découvrir d'autres façons de vivre et goûter les mille et un plats nouveaux de la gastronomie du monde et me faire beaucoup d'amis et je m'emplirais les yeux des plus beaux paysages de la planète et je rentrerais chez moi et je serais plus riche de toutes ces rencontres et de toutes ces beautés.

....

....

....

....

....

....

207. STRUCTURER UN TEXTE

Reconstituez un texte à partir des phrases suivantes données dans le désordre, en introduisant des articulateurs logiques et la ponctuation qui convient :

1. Il appartient aux publicitaires de réglementer la profession.

2. La publicité est au service du consommateur.

3. Elle rend la vente de masse possible en abaissant les coûts.

4. Il arrive que la publicité informe mal et même trompe délibérément le consommateur.

5. La publicité a un rôle positif sur la consommation.

6. Elle favorise, voire provoque, des achats inutiles.

7. Elle a un incontestable attrait esthétique.

8. Elle occupe une place trop importante dans les médias et défigure nos villes.

9. Il faut que les consommateurs contrôlent la publicité et se montrent exigeants.

10. Son premier but est d'informer le client.

11. Certains films publicitaires sont de véritables chefs-d'œuvre d'humour.

....
....
....
....
....
....
....
....
....
....
....
....

208. DÉFINIR

Écoutez les enregistrements et mettez en relation le numéro de la définition que vous avez entendue avec l'objet, la personne ou la notion définis :

objet, personne ou notion définis	dialogue
la pollution urbaine	
Voltaire	
ricaner	
Le Mouvement de Libération des Femmes (M.L.F.)	
une inauguration	
les Objets Volants Non Identifiés (O.V.N.I.)	
un mini-hachoir électrique	
la solidarité	

209. DÉFINIR

Complétez les définitions suivantes en utilisant l'expression qui convient :

1. Les nouvelles mesures gouvernementales .... réduire la durée du travail.

2. « L'innovation » .... « l'invention, la nouveauté ».

3. L'intérêt des nouvelles mesures gouvernementales .... une répartition différente de l'impôt.

4. Un sécateur .... tailler les rosiers et les arbres.

5. Qu'est-ce que le progrès social, ... l'amélioration du sort des plus défavorisés ?

6. Les moustiques .... paludisme.

7. « Une névrose » : .... une maladie qui affecte la vie psychique du patient.

8. « Réprouver quelque chose » .... « approuver ».

(consister en / sinon / servir à / consister à / être un synonyme de / être l'agent de / s'agir de / signifier le contraire de)

210. PRÉCISION DU VOCABULAIRE : LE VERBE « FAIRE »

Récrivez les phrases suivantes en remplaçant le verbe « faire » par un verbe plus précis emprunté à la liste ci-dessous :

1. Cet été, nous avons fait 2400 kilomètres en un mois.

....

2. C'est un garçon très habile de ses mains : il a fait lui-même sa maison.

....

3. Dans cette région, la plupart des agriculteurs font des céréales.

....

4. Henri a fait beaucoup d'argent en vendant des voitures d'occasion à l'étranger.

....

5. Excusez-moi, monsieur, est-ce que vous faites ce modèle d'aspirateur ?

....

6. Je pense que Josette fait du 36 ou du 37, maximum.

....

7. Il ne faut pas t'en faire pour Jacques : il va réussir, tu verras.

....

8. La fille aînée des Reverdy fait droit à Montpellier.

....

9. Jean-Paul, est-ce que tu as fait ta chambre ?

....

10. Ces chaussures sont solides : elles m'ont fait quatre ans.

....

(durer / étudier / être soucieux, soucieuse / vendre / construire / chausser / parcourir / gagner / produire / nettoyer)

▣ **211.** PRENDRE DES NOTES

Écoutez l'enregistrement et prenez des notes :

....
....
....
....
....
....
....

▣ **212.** ORAL / ÉCRIT : RAPPORTER UN ÉVÉNEMENT PAR ÉCRIT

Écoutez l'enregistrement et écrivez un article de journal en reprenant et en développant les informations :

....
....
....
....
....
....
....
....
....
....

▣ **213.** ORAL / ÉCRIT : EXPRESSION DE L'OPINION

Lisez le texte, écoutez les enregistrements et dites, pour chaque partie du texte, de quel enregistrement le journaliste s'est servi pour rédiger son article :

1   ***Extérieur nuit*** : le nouveau film de Claude Durand

C'était hier la sortie attendue du dernier film de Claude Durand, *Extérieur nuit*.
5   Nous avons recueilli les opinions des premiers spectateurs, à l'issue de la projection. Ce sondage, première réaction « à chaud », peut permettre de détecter des tendances et de vérifier si les
10   éloges des critiques parues dans la presse sont justifiées ou non. Ce qui se dégage de ce micro-trottoir, c'est que chacun a vu le film à sa façon. Les réactions sont en effet très disparates. D'un
15   côté, il y a la jeune femme que j'ai interrogée et qui sort en pleurant et se déclare bouleversée par le film. De l'autre, le jeune homme blasé qui, tout en appréciant la qualité du film, en sort
20   sans enthousiasme. Il y a ceux qui l'ont trouvé sans intérêt. Mais en face de ces spectateurs déçus, il y a les enthousiastes, les passionnés.

Pourtant, certains en sont sortis avec 25
une impression générale positive et, en même temps, avec le sentiment d'un assemblage de séquences connues. Ce film restera sans doute comme un hommage rendu par Claude Durand au ci- 30
néma français avec toute une série de clins d'œil à des chefs-d'œuvre comme *Les Enfants du paradis*, *La Nuit américaine*.

Le *happy end* semble très réussi puisque les spectateurs sont unanimes dans 35
les louanges en ce qui concerne les scènes finales du film.

Edouard Legolf, *Cinépanorama*.

214. RÉSUMER UN TEXTE

Résumez le texte ci-dessous en 90 mots, en vous servant du schéma :

Un sport universel...

La pétanque est un jeu extrêmement populaire en France : retraités sur les places publiques du Sud (et du Nord aussi !), familles en villégiature campagnarde pendant les dimanches d'été, touristes en vacances dans les campings de France, tous s'adonnent à ce sport sympathique et bon enfant. La Fédération française de pétanque compte 460 000 licenciés. Elle arrive en quatrième position derrière les « grandes fédérations », celles de football, de tennis et de ski.

Il faut dire que la pétanque a pour elle son extrême simplicité. Le jeu consiste pour chaque joueur à placer trois boules métalliques aussi près que possible d'une petite sphère de bois qu'on appelle « le bouchon ». On peut aussi chasser du jeu les boules de l'adversaire en les « tirant ». La pétanque peut être pratiquée en individuel ou en équipes de deux, trois ou quatre joueurs.

Née à la fin du siècle dernier à La Ciotat, à proximité de Marseille, la pétanque est en passe de devenir un sport universel. Ainsi, le championnat du monde en triplettes (c'est-à-dire en équipes de trois joueurs) rassemble quelque deux cents champions originaires d'une quarantaine de pays. La France, longtemps souveraine dans ce championnat, risque de se voir ravir sa suprématie par des nations qui lui contestent régulièrement son titre : autres pays d'Europe ou du Maghreb mais aussi joueurs venus de pays très lointains comme les Thaïlandais.

Bref, économique, facile, ouverte à tous et conviviale, la pétanque était appelée à franchir les frontières étroites de son midi natal pour conquérir le monde. On la pratique aujourd'hui sur tous les continents.

(270 mots)

rapport logique		idées
thème		**Pétanque = jeu populaire** – retraités, familles, touristes la pratiquent – Fédération française de pétanque = 460 000 membres – 4^e
explication / idée 1	Il faut dire que	**pétanque = extrême simplicité** – règle du jeu : 3 boules + « bouchon » – jeu individuel ou en équipes (2, 3 ou 4 joueurs)
explication / idée 2 exemple	Ainsi	**Pétanque = en passe de devenir un sport universel** championnat du monde = 200 champions / 40 pays France = titre de champion menacé par d'autres pays (Europe, Maghreb, Thaïlande)
conclusion	Bref	pétanque = économique, facile, ouverte à tous, conviviale ⇒ pratiquée sur tous les continents

215. RÉSUMER UN TEXTE

Résumez le texte ci-dessous en 110 mots, en vous servant du schéma :

La voiture de demain

La voiture de demain présentera un grand nombre d'innovations sur lesquelles travaillent déjà les bureaux d'études des constructeurs automobiles. Voici un aperçu de ce que sera la voiture du siècle prochain...

Comment ouvrira-t-on la voiture de demain ? Elle ne comportera ni poignée, ni clé, ni serrure. Il suffira d'appuyer sa main sur un point de la carrosserie et la voiture intelligente reconnaîtra son propriétaire et légitime conducteur à ses empreintes digitales. Une fois installé à l'intérieur, l'automobiliste affiche sur l'écran du système de navigation le lieu où il veut se rendre. L'ordinateur central de bord propose alors plusieurs itinéraires : le plus rapide, le plus économique, le plus intéressant sur le plan touristique, le moins encombré. Et le conducteur dispose...

Mais les principales innovations concernent la sécurité et la protection de l'environnement. Ainsi, les voitures de demain seront construites dans des matériaux plus résistants. Les constructeurs vont également augmenter le nombre de coussins gonflables qui éviteront les chocs meurtriers contre le haut de la portière ou même le toit en cas de tonneau. Grâce à des capteurs électroniques, le véhicule pourra analyser l'haleine du conducteur et refusera de démarrer si le test révèle un taux d'alcoolémie supérieur à 0,5 g. Enfin, les ingénieurs étudient un radar anticollision. Celui-ci détecte les obstacles et repère le véhicule qui précède ou qui suit. L'ordinateur de bord intervient alors sur le moteur pour adapter la vitesse et la réduire si le véhicule s'approche trop près d'un obstacle mobile ou fixe.

La voiture électrique est appelée à se développer parce que l'opinion publique est de plus en plus sensible au problème de la pollution de l'air par les gaz d'échappement, dans les grandes villes notamment. D'autre part, les énergies fossiles (pétrole) ne sont pas inépuisables. Cependant, la mise au point de véhicules électriques performants sur le plan de la vitesse et de l'autonomie demandera encore plusieurs années. Mais déjà, les ingénieurs se tournent vers une réalisation technique à plus long terme : le moteur à hydrogène.

(333 mots)

rapport logique		idées
introduction		Voiture de demain = beaucoup **d'innovations**
explication		1. Ouverture = empreintes digitales 2. Système de navigation / ordinateur = choix d'itinéraire
ajout d'arguments	Mais	principales innovations = sécurité + protection de l'environnement
exemples / idée 1	Ainsi	**1. Sécurité :** – matériaux + résistants
ajout d'un exemple	également	– augmentation du nombre de coussins gonflables – analyse de l'haleine du conducteur ⇒ refus de démarrer si alcoolémie > 0,5 g
ajout d'un exemple	Enfin	– radar anticollision = détecte les obstacles ⇒ ordinateur intervient sur le moteur
exemples / idée 2		**2. Protection de l'environnement** – Voiture électrique = développement
explication / cause	parce que	opinion publique sensible à la pollution
ajout d'une explication	D'autre part	– énergies fossiles ≠ inépuisables
opposition	Cependant	– elle n'est pas encore au point (plusieurs années)
opposition	Mais	– projet à long terme : le moteur à hydrogène

216. ORAL / ÉCRIT : SYNTHÈSE D'INFORMATIONS

Écoutez la conversation et, en choisissant parmi les différentes propositions, rédigez la lettre qui correspond :

Suite à notre réunion… ❑

Suite à notre conversation téléphonique… ❑

Suite à notre rencontre… ❑

j'ai le plaisir de… ❑

j'ai le regret de… ❑

vous confirmer… ❑

vous informer… ❑

vous annoncer… ❑

que nous n'organiserons pas de… ❑

que nous organiserons un… ❑

concert ❑

voyage ❑

colloque ❑

du 8 au 15 septembre ❑

le 18 septembre ❑

217. ENRICHISSEMENT DU VOCABULAIRE : LA MÉTAPHORE

Précisez le sens de la phrase (l'expression métaphorique est en caractères gras) :

1. Josana, c'est une vraie **peste** !
   Elle est insupportable. ❑
   Elle sent mauvais. ❑
   Elle parle trop. ❑

2. Tu as de vrais **yeux de lynx.**
   Tu as les yeux très foncés. ❑
   Tu as une très bonne vue. ❑
   Tu as de tout petits yeux. ❑

3. Quel **rasoir**, ce conférencier !
   Il est très précis. ❑
   Il est intéressant. ❑
   Il est ennuyeux. ❑

4. Je ne connaissais rien à Internet, mais **je me suis jeté à l'eau**.
   J'ai longuement appris cette activité nouvelle. ❑
   Je me suis lancé sans hésiter dans cette activité nouvelle. ❑
   J'ai renoncé à apprendre cette activité nouvelle. ❑

5. Jérémie est passé **en coup de vent** tout à l'heure.
   Il est venu avec plusieurs amis. ❑
   Il a dérangé tout le monde. ❑
   Il n'est pas resté longtemps. ❑

6. Il ne faut pas **mettre la charrue avant les bœufs.**
   Il faut respecter l'ordre naturel des choses. ❑
   Il ne faut pas entreprendre quelque chose qu'on ne sait pas faire. ❑
   Chacun doit faire ce qu'il sait faire. ❑

7. C'est **à vous couper le souffle** !
   C'est très inquiétant. ❑
   C'est très fatigant. ❑
   C'est très beau. ❑

8. Je ne sais pas **sur quel pied danser**.
   Je suis très maladroit. ❑
   Je suis indécis. ❑
   Je danse très mal. ❑

📼 **218.** ÉLARGISSEMENT DU VOCABULAIRE :
« -PHILE » / « -PHOBE » / « - PHONE »

Écoutez les enregistrements et dites, pour chaque enregistrement, comment on peut caractériser la personne qui parle :

	enr.
agoraphobe	
arachnophobe	
bibliophile	
claustrophobe	
francophile	
xénophile	

	enr.
hydrophobe	
germanophile	
hispanophone	
lusophone	
cinéphile	
xénophobe	

📼 **219.** ÉLARGISSEMENT DU VOCABULAIRE : « -LOGUE »

Écoutez les enregistrements et dites, pour chaque enregistrement, comment on peut caractériser la personne qui parle :

	enr.
anthropologue	
cancérologue	
égyptologue	
géologue	
graphologue	

	enr.
musicologue	
philologue	
psychologue	
sociologue	
vulcanologue	

📼 **220.** ÉLARGISSEMENT DU VOCABULAIRE : « -MANE »

Écoutez les enregistrements et dites, pour chaque enregistrement, comment on peut caractériser la personne dont on parle :

	enr.
kleptomane	
mégalomane	
mélomane	

	enr.
mythomane	
pyromane	
toxicomane	

221. ÉLARGISSEMENT DU VOCABULAIRE : « POLY- »

Écoutez les enregistrements et dites, pour chaque enregistrement, comment on peut caractériser la personne dont on parle :

	enr.
polyglotte	
polygame	
polythéiste	

	enr.
polyvalent	
polytechnicien	

222. ÉLARGISSEMENT DU VOCABULAIRE : « AUTO- »

Écoutez les enregistrements et dites, pour chaque enregistrement, comment on peut caractériser la personne dont on parle :

	enr.
autodidacte	
autonome	
autonomiste	

	enr.
autocrate	
autochtone	

CORRECTIONS

UNITÉ 1

1. Exprimer une opinion positive ou négative
1. hiver (positif)
2. ville (négatif)
3. téléphone portable (négatif)
4. Internet (positif)
5. journal (négatif)
6. gouvernement (positif)
7. ponctualité (positif)
8. versatilité (négatif)

2. Classer du positif au négatif
1. 1. Ce riz est excellent.
   2. Ce riz est assez bon.
   3. Ce riz n'a pas de goût.

2. 1. C'était le plus beau jour de ma vie.
   2. J'ai passé une journée intéressante.
   3. C'était une journée ordinaire

3. 1. Elle est superbe, ta jupe.
   2. Elle est pas mal, ta jupe.
   3. Cette jupe ne te va pas du tout.

4. 1. C'est délicieux !
   2. C'est plutôt bon.
   3. Ce n'est pas mauvais.

5. 1. Quel garçon délicat, ton frère.
   2. Ton frère ? C'est un gentil garçon.
   3. Il est d'une grossièreté, ton frère !

6. 1. L'Italie ? C'est fabuleux !
   2. J'aime bien l'Italie.
   3. L'Italie ? Bof !

3. Exprimer une opinion négative
1. Ton frère, c'est un parfait imbécile.
2. Il passe sa journée à faire des mots croisés.
3. Ils sont sympas comme une porte de prison !
4. Tu veux parler de mon tas de ferraille ?
5. Il fait un bruit d'enfer.
6. On se serait cru à un enterrement !
7. Ne m'en parle pas : un vrai fauve !
8. Oui, regarde ! C'est cette cravate. Atroce !

4. Exprimer une opinion positive
1. Beau comme un dieu !
2. Je suis une fanatique de Soulages.
3. Très ouvert.
4. On ne s'est pas ennuyé.
5. C'est la première fois que j'y comprends quelque chose.
6. C'est très grand et on a le soleil toute la journée.

5. Exprimer une opinion positive ou négative
Êtes-vous satisfait :
 de l'accueil ? (oui)
 du service ? (oui)
 du repas ? (oui)
 du confort ? (non)
 du film projeté pendant le voyage ? (sans opinion)
 du respect des horaires ? (oui)

6. Vocabulaire du jugement
1. imbattables
2. imprenable
3. inoubliables
4. désopilants
5. haletante
6. endiablés

7. Exprimer une opinion positive ou négative
confortable (chambre)
pas très confortable (lit)
spacieux (salle de bains)
bruyant (chambre)
bien équipé (salle de bains)
Êtes-vous satisfait :
 du personnel ? (oui)
 de l'entretien des chambres ? (oui)
 du petit déjeuner ? (oui)
 des horaires pour le petit déjeuner ? (non)
 du restaurant panoramique ? (sans opinion)
 des tarifs ? (non)

8. Vocabulaire du jugement (chaud / froid)
1. A.
2. E.
3. D.
4. F.
5. C.
6. B.

9. Vocabulaire (chaud / froid)
1. Ils ont évoqué les questions d'actualité les plus **brûlantes**. (chaud – sens second)
2. Tu as les mains **gelées**. (froid – sens premier)
3. Il faut garder **la tête froide**. (froid – sens second)
4. Je vais prendre le **frais** sur la terrasse. (froid – sens premier)
5. La discussion a été très **chaude**. (chaud – sens second)
6. Il souffle un vent **glacial**. (froid – sens premier)
7. Les relations entre les deux pays **se sont réchauffées**. (chaud – sens second)
8. Son arrivée à provoqué un léger **froid**. (froid – sens second)
9. C'est la fin de la guerre **froide** entre l'Est et l'Ouest. (froid – sens second)
10. Quand il m'a dit le prix de la voiture, ça m'a tout de suite **refroidi**. (froid – sens second)
11. Un peu d'amour, ça **réchauffe** le cœur. (chaud – sens second)
12. Je vais servir quelques boissons **fraîches**. (froid – sens premier)
13. Je ne suis pas **frais** ce matin. (froid – sens second)
14. Ouf ! **J'ai eu chaud** ! Heureusement que j'ai de bons freins ! (chaud – sens second)

10. Vocabulaire : chaud / froid (sens premier / sens second)
1. chauffer
2. bouillant
3. chaleureuse
4. fraîche
5. glacial
6. chaud
7. brûlé
8. chaud
9. frais
10. refroidi

11. Syntaxe des verbes : « à » ou « de » + infinitif
1. à
2. de
3. à
4. à
5. de
6. à
7. à
8. de

12. Comparatif / superlatif
1. de
2. que
3. du
4. de
5. qu'
6. de
7. que
8. de

13. Comparatif / superlatif
1. le plus lourd
2. moins longtemps
3. plus bruyante
4. le plus beau
5. aussi cher
6. plus rapidement
7. la plus âgée
8. une meilleure

14. Comparatif / superlatif
1. que son frère
2. que le mien
3. les meilleures
4. meilleure
5. mieux
6. meilleure
7. pire
8. meilleur

15. Nuancer une opinion positive
1. timide
2. il manque d'expérience
3. il ne brille pas par son intelligence
4. réaliste
5. il chante comme une casserole
6. il est sans scrupule

16. Vocabulaire de l'opinion
1. ponctuel
2. imprévisible
3. fiable
4. imprudent
5. efficace
6. chaotique

17. Vocabulaire : facile / difficile
1. complexe
2. ardue
3. épineux
4. enfantine
5. compliqué
6. aisée
7. pénible
8. délicate

18. Vocabulaire : gentil / méchant
1. une peste
2. odieux
3. ange
4. diabolique
5. attentionné
6. sa délicatesse

19. Vocabulaire : bête / intelligent
1. Jean-Paul, il n'a pas inventé l'eau chaude ! (bêtise)
2. Cette fille, elle est géniale ! (intelligence)
3. Il n'est pas très futé, ton copain ! (bêtise)
4. Roger, ce n'est pas une lumière ! (bêtise)
5. Henri, ce n'est pas Einstein ! (bêtise)
6. Il a fait preuve d'une grande subtilité. (intelligence)
7. Je le trouve complètement stupide ! (bêtise)
8. Ce n'est pas très fin ce que tu dis ! (bêtise)
9. Elle est loin d'être idiote. (intelligence)
10. C'est complètement débile comme raisonnement ! (bêtise)

20. Vocabulaire : habile / malhabile
1. D.
2. F.
3. G.
4. H.
5. C.
6. E.
7. A.
8. B.

21. Élargissement du vocabulaire – exprimer une appréciation positive sur une personne
1. fascination
2. dynamique
3. merveilleuse
4. exquise
5. vraiment cultivée
6. généreux
7. séduisant
8. la complicité

22. Élargissement du vocabulaire – exprimer une appréciation négative sur une personne
1. un raté
2. la haine
3. débile mental
4. faux jeton
5. directive
6. horrible
7. insupportable
8. fainéant

23. Aimer
1. B.
2. F.
3. C.
4. E.
5. A.
6. D.

24. Désirer
A. 1. vous poser
   2. parliez
   3. un café

B. 1. souhaitez
   2. voulez
   3. J'aspire à
   4. J'ai envie d'
   5. J'ai besoin d'

25. Avoir envie
A. 1. d'
   2. vienne
   3. de

B. 1. voulez
   2. Il a la volonté
   3. j'ai besoin

UNITÉ 2

26. Impératif / infinitif
1. changez
2. partir
3. Laisse
4. stocker
5. soyez/prenez
6. Venez
7. Voir
8. Trouver
9. Trouvez
10. Asseyez-vous

27. « Il faut que » + subjonctif
1. tu rentres
2. nous partions
3. j'y aille
4. tu fasses
5. vous hésitiez
6. elles viennent
7. vous sachiez
8. je prenne

28. Impératif / Infinitif
Impératif : 1, 2, 6, 8.
Infinitif : 3, 4, 5, 7.

29. Donner des instructions
1. Choisir l'article à commander.
2. Reporter le code de l'article sur le bulletin de commande.
3. Préciser la taille de l'article.
4. Indiquer la quantité.
5. Indiquer le prix de l'article.
6. Ajouter les frais de port (35 francs).
7. Préciser le mode de paiement.
8. Porter le montant global de la commande en bas à droite.
9. Signer le chèque.
10. Introduire le chèque et le bulletin de commande dans une enveloppe timbrée.
11. Poster l'enveloppe.

30. Donner des instructions
Pour installer le progamme antivirus :
1. Introduire une disquette vierge dans le lecteur A.
2. Formater la disquette.
3. Retirer la disquette du lecteur A.
4. La remplacer par la disquette n° 1 (disquette de démarrage).
5. Taper « installe ».
6. Suivre les instructions qui apparaissent à l'écran.
7. Attendre l'annonce « installation réalisée avec succès ».
8. Lorsque le programme vous le demandera, remplacer la disquette de démarrage par celle que vous avez formatée.
9. Appuyer sur entrée.
10. N'oubliez pas d'identifier votre disquette (en inscrivant « antivirus » par exemple).

Pour vérifier que votre ordinateur n'est pas contaminé par un virus :
1. Éteindre l'ordinateur.
2. Introduire votre disquette « antivirus » dans le lecteur A.
3. Allumer l'ordinateur.
4. Attendre la fin des opérations.
5. Vérifier la présence éventuelle de virus.

31. Verbes + « que » avec ou sans subjonctif
1. Je souhaite
2. Il faut
3. J'espère
4. J'exige
5. Je crois
6. Je doute

32. Les adverbes en « -ment »
1. Sois gentil !
2. Soyez patient/patiente/patients !
3. Soyez intelligent/intelligente/intelligents !
4. Soyez élégant/élégante/élégants !
5. Soyons efficaces !
6. Soyez courtois/courtoise !
7. Soyez rapide/rapides !
8. Soyez direct/directe/directs !
9. Soyez bref/brève/brefs !
10. Soyez discret/discrète/discrets !

33. Les adverbes en « -ment »
1. méchamment
2. amoureusement
3. brillamment
4. bêtement
5. précisément
6. étonnamment
7. récemment
8. innocemment

34. Les adverbes en « -ment »
1. brillamment
2. follement
3. agressivement
4. naïvement
5. exclusivement
6. sèchement
7. prodigieusement
8. doucement
9. rageusement
10. Inconsciemment

35. Les adverbes en « -ment »

1. correctement
2. précipitamment
3. distinctement
4. tendrement
5. aimablement
6. joyeusement
7. momentanément
8. délicatement
9. pesamment
10. calmement
11. Habituellement
12. gentiment

36. Les adverbes en « -ment »

1. poliment
2. difficilement
3. franchement
4. amicalement
5. sagement
6. Finalement
7. prudemment
8. avidement
9. férocement
10. haineusement
11. cordialement
12. dangereusement

37. Impératif + pronom

1. prends-en
2. Ouvrez-la !
3. Fais-les
4. Mets-les
5. Vas-y
6. téléphone-lui
7. Conduisez-moi
8. Montrez-leur

38. Impératif + double pronom

1. Apporte-m'en
2. envoyez-le
3. donne-le-lui
4. Présente-la-leur
5. changez-les-nous
6. leur en offrez

39. Verbe + pronom

1. Tu en veux plusieurs ?
2. Tu as vu des problèmes ?
3. Vous m'avez envoyé les contrats ?
4. Vous avez trouvé l'adresse de Monsieur Legrand ?
5. Vous avez connu des moments de difficulté dans votre carrière ?
6. Vous lui avez trouvé un petit hôtel pas cher ?

40. les pronoms

1. en
2. le
3. les
4. en
5. les
6. en
7. y
8. y

41. les pronoms (avec « penser » et « croire »)

1. y
2. à elle
3. en

---

4. le
5. te
6. le
7. en
8. y
9. en
10. le

42. les pronoms

1. Lis-le !
2. Écoute-le !
3. Annule-la !/ annulons-la !/ annulez-la !
4. Prenez-le !
5. Attends-les !
6. Recommence-les / recommençons-les / recommencez-les tous !
7. Gare-la devant le magasin !
8. Postez-les, s'il vous plaît.
9. Reprends-en !
10. Vas-y tout de suite !
11. Réponds-lui / répondons-lui / répondez-lui avant quarante-huit heures !

43. les pronoms

1. leur
2. les
3. la
4. le
5. en
6. la
7. l'
8. en
9. le
10. lui

44. les pronoms

1. Donne-les-lui.
2. Laisse-la-moi.
3. Achète-nous-en.
4. Envoie-la-lui.
5. Offre-le-lui.
6. Montre-le-leur.
7. Raconte-la-nous.
8. Prend-nous-en un.

45. les pronoms

1. les-nous
2. les-moi
3. le-lui
4. m'en
5. les-leur
6. m'en
7. la-leur
8. la-moi
9. lui-en
10. vous-en

46. Vocabulaire : ne parlez pas « franglais » !

1. parc de stationnement
2. baladeur
3. entraîneur
4. tour de chauffe / première position
5. chef
6. spectacle
7. informations
8. fin de semaine
9. entrevue
10. emploi

---

47. Vocabulaire : ne parlez pas « franglais » !

1. tir au but
2. réception
3. remue-méninges
4. emploi du temps
5. expédition
6. vedette
7. chèque de voyage
8. voyagistes
9. sang-froid
10. courrier électronique

48. Vocabulaire : ne parlez pas « franglais » !

1. la nostalgie
2. allégés
3. étanche
4. une planche à roulettes
5. la garde d'enfant / travail
6. chariot
7. tendu
8. retour en arrière
9. verre
10. excité

UNITÉ 3

49. Imparfait / passé composé

	événement	situation
1.		X
2.	X	
3.	X	
4.		X
5.		X
6.	X	
7.		x
8.	X	
9.		X
10.		X

50. Accord du participe passé

	homme	femme
1.		X
2.		X
3.	X	
4.		X
5.	X	
6.		X
7.		X
8.		X
9.	X	
10.		X

51. Accord du participe passé

	homme	femme	?
1.			X
2.		X	
3.			X
4.		X	
5.	X		
6.			X
7.			X
8.		X	
9.		X	
10.		X	

52. Accord du participe passé

1. comprendre / sans préposition
2. répondre / avec préposition « à »
3. croire / sans préposition
4. téléphoner / avec préposition « à »
5. chercher / sans préposition
6. voir / sans préposition
7. appeler / sans préposition
8. apprécier / sans préposition
9. expliquer / avec préposition « à »
10. croiser / sans préposition

53. Accord du participe passé

	homme	femme	?
1.		X	
2.	X		
3.			X
4.		X	
5.		X	
6.			X
7.	X		
8.			X
9.			X
10.	X		

54. Accord du participe passé

1. ai accompagnées
2. as vues
3. ai cherchés
4. ai aidée
5. ai envoyée
6. ai rencontrée
7. ai trouvés
8. ai salué
9. a appelé
10. ai perdues

55. Accord du participe passé

1. parlé
2. trouvé
3. connue
4. méritée
5. promis
6. permis
7. accompagnée
8. conduite

56. Accord du participe passé

1. J'ai téléphoné à Betty ce matin.
2. Vous avez vu Betty ?
3. J'ai cherché Betty partout.
4. Elle a donné ton adresse à Betty
5. J'ai parlé à Betty de ton projet.
6. J'ai conseillé à Betty de prendre quelques jours de repos.
7. On a nommé Betty responsable de la communication.
8. Tu as appelé Betty ?
9. J'ai dit à Betty que j'avais envie de la revoir.
10. J'ai donné rendez-vous à Betty à 10 heures.

57. Accord du participe passé

1. Je l'ai trouvée très préoccupée.
2. Nous l'avons employée pendant 10 ans.
3. Je les ai appelés pour les remercier de leur hospitalité.
4. Je les ai entendus chanter. Cela m'a beaucoup plu.
5. Je les ai aidées à repeindre leur appartement.
6. Je l'ai félicitée pour son examen.
7. Je les ai trouvées très sympas.
8. Je les ai accompagnées à Paris.

58. Accord du participe passé

1. Qu'est-ce que tu lui as répondu ?
2. Tu l'as conduite à la gare ?
3. Vous lui avez écrit ?
4. Je les ai aperçues hier soir au concert.
5. Je l'ai croisée rue du Four.
6. Je lui ai demandé de m'aider.
7. J'ai enfin pu lui parler.
8. Tu l'as laissée toute seule !

59. Accord du participe passé

	homme	femme	?
1.		X	
2.			X
3.		X	
4.	X		
5.		X	
6.			X
7.		X	
8.		X	
9.		X	
10.			X

60. Accord du participe passé

1. Brigitte et sa sœur sont passées à la maison.
2. Brigitte et sa mère sont nées le même jour, un 19 juillet.
3. Brigitte ? Il y a des années que je ne l'ai pas vue.
4. Brigitte et Danièle ? Elles se sont rencontrées à la faculté des lettres.
5. Tu connais Andrée ? Et bien, elle et Brigitte se sont téléphoné pendant des heures hier soir.
6. Brigitte ? C'est la fille qui s'est assise à ma table à midi.
7. Tu sais que Brigitte et Annie se sont disputées toute la soirée ?
8. Brigitte et Catherine ? Je te les ai présentées à la soirée chez Ferdinand.

61. Accord du participe passé : les verbes pronominaux

1. se sont dépêchés.
2. se sont rencontrées
3. se sont mariés
4. êtes levée
5. êtes lavé
6. se sont vus
7. se sont plu
8. nous sommes réveillés
9. se sont perdues
10. nous sommes séparés

62. Le plus-que-parfait

1. avaient fini
2. nous étions rencontrés (ées)
3. avais compris
4. aviez dit
5. avais prévenu
6. avais prévu
7. avais laissé
8. avait pu
9. avions conclu
10. avions passé

63. Le sens du plus-que-parfait

1. reproche
2. excuse
3. regret
4. reproche
5. vérification
6. reproche
7. explication
8. vérification

64. L'antériorité

1. 1. oublier un dossier
   2. retourner au bureau
   3. surprendre un voleur

2. 1. repeindre le plafond
   2. poser le papier
   3. poser la moquette

3. 1. sélectionner le format et le contraste
   2. placer le document sous le capot de la machine
   3. appuyer sur le bouton de mise en route

4. 1. début de carrière en France
   2. séjour au Nigéria
   3. installation en Finlande

5. 1. décider de voyager
   2. vendre la maison
   3. acheter le bateau

6. 1. regarder dans le rétroviseur
   2. mettre le clignotant
   3. se déporter sur la voie de gauche

7. 1. vérifier le fonctionnement des machines
   2. enclencher la système de sécurité
   3. quitter les lieux

8. 1. donner un ticket
   2. prendre un plateau
   3. faire la queue

65. Le futur antérieur

1. auras terminé
2. aurons fini
3. seront rentrés
4. se sera calmé
5. aurez fait
6. aura pu
7. auront compris
8. aurez bu
9. aurai déménagé
10. aurez répondu

66. Antériorité / postériorité

		plus de	moins de
1.	15 ans		X
2.	22 h	X	
3.	20 ans	X	
4.	18 ans	X	
5.	20 h		X
6.	1 heure		X
7.	1 semaine	X	
8.	24 h		X
9.	18 ans	X	
10.	15 h	X	

67. « Avant de » / « après » + infinitif

1. avant de
2. avant de
3. Après
4. avant de
5. Après
6. Après
7. Avant de
8. Après

68. « Avant de » / « après » + infinitif

1. s'être trompé
2. avoir vu
3. travailler
4. avoir changé
5. avoir vérifié
6. avoir remporté
7. avoir vécu
8. de terminer

69. Passé proche / futur proche

1. Proche / futur
2. Proche / passé
3. Lointain / futur
4. Proche / futur
5. Lointain / futur
6. Proche / passé
7. Proche / passé
8. Proche / futur
9. Proche / futur
10. Proche / futur

70. Proximité dans le temps

1. tout de suite
2. bientôt
3. il y a une seconde
4. ce matin

5. est en train de partir
6. une petite minute
7. après-demain
8. tout à l'heure

71. Éloignement dans le temps

1. une éternité
2. un de ces jours
3. indéterminé
4. un bail
5. il y a quelque temps déjà
6. Jadis
7. dernièrement
8. l'année prochaine

72. Adjectifs exprimant une durée

1. passagère
2. brèves
3. concis
4. ce léger
5. court
6. fulgurants
7. imminente
8. dans les jours qui viennent
9. légèrement retardée
10. sur le champ

73. Expression de la durée

enr.	durée courte	durée longue
1.	X	
2.		X
3.	X	
4.		X
5.		X
6.	X	
7.	X	
8.		X
9.		X
10.	X	
11.		X
12.		X

74. Vocabulaire : les couleurs

1. vert
2. bleu
3. noir
4. rouge
5. blanche
6. rouge
7. vert
8. vert
9. bleue
10. blanche
11. gris
12. verte
13. blanc / vert
14. rouge

UNITÉ 4

75. Le conditionnel

	conditionnel	futur
1.		X
2.	X	
3.	X	
4.	X	
5.		X
6.	X	
7.		X
8.	X	
9.	X	
10.		X

76. Le conditionnel

1. voudrais
2. pourriez
3. auriez envie
4. serait
5. ferait plaisir
6. aimeraient
7. préférerais
8. devriez
9. souhaiterions
10. sauriez

77. Faire une proposition

	proposition	autre chose
1.		X
2.	X	
3.	X	
4.	X	
5.		X
6.	X	
7.		X
8.	X	
9.		X
10.	X	

78. Faire une proposition

1. allait
2. envie de
3. une petite faim
4. plairait
5. pourriez
6. allait
7. pourrait
8. aimeriez

79. Faire une proposition

1. reproche
2. proposition
3. reproche
4. proposition
5. proposition
6. demande
7. conseil
8. proposition
9. demande
10. conseil

80. Faire une proposition

1. Ça te plairait de faire du lèche-vitrines ?
2. Si on invitait les voisins à dîner ?
3. Tu (n') aurais (pas) envie de faire une balade à vélo ?
4. Si on rentrait à la maison ?
5. Ça te dirait de faire un tour à la fête foraine ?
6. Si on faisait une petite pause ?
7. Ça te plairait de voir un bon film ?
8. Tu (n') aurais (pas) envie d'un petit repas en amoureux ?

81. Faire une proposition en utilisant ou non le conditionnel

Faire du vélo : dial. 3
Parler de projets : dial. 7
Passer Noël en Grèce : dial. 9 / conditionnel
Souhaiter bon anniversaire : dial. 10 / conditionnel
Aller au lit : dial. 5
Aller chez des amis : dial. 1 / conditionnel
Aller dehors : dial. 8 / conditionnel
Aller au restaurant : dial. 2
Prendre un instant de repos : dial. 4 / conditionnel
Boire un verre : dial.6 / conditionnel

82. Accepter / refuser

1. Aller à la campagne (refusée)
2. Aller au restaurant (acceptée)
3. Offrir un vélo (refusée)
4. Constituer des groupes (acceptée)
5. Faire une pause (refusée)
6. Voter (refusée)
7. Déménager (refusée)
8. Chercher la voiture (refusée)

83. Accepter / refuser

1. C'est déjà moi qui l'ai mise à midi !
2. Mais il est à peine 9 heures !
3. Une autre fois, Bernard, je meurs de fatigue.
4. Je ne suis pas ta bonne !
5. Je ne reçois que sur rendez-vous.
6. Je n'ai pas de temps à perdre.

84. Accepter / refuser

1. Elle ne danse pas avec les inconnus.
2. Tu n'as qu'à travailler !
3. Écoute, je t'ai déjà dit trois fois que je n'avais plus faim !
4. Pas question ! Il y a un match de foot à la télé.
5. Ça va pas la tête ! Pour le 15 août ! Tu es complètement folle ! Tu ne me feras pas bouger d'ici.
6. Et alors ?

85. Accepter/refuser

1. H.
2. F.
3. D.
4. B.
5. E.
6. A.
7. C.
8. G.

86. Vocabulaire : le corps humain

	enr.
cheveu	10
cœur	9
doigt	6
dos	1
genou	7
jambe	5
langue	10
main	8
nez	3
œil	4
pouce	2

sens des expressions	enr.
Il a trop bu.	3
J'en ai assez.	1
Il est très généreux.	9
Il zozote.	10
Je l'ai demandée en mariage.	8
Je m'en fiche.	5
Je suis épuisé.	7
Je vous surveille.	4
Stop ! J'arrête !	2
Vous prenez l'apéritif ?	6

87. Vocabulaire : le corps humain (la main)

1. Bernard m'a aidé.
2. J'ai participé au travail.
3. J'en suis sûr.
4. Vous devez me donner ça personnellement.
5. Je n'ai plus l'habitude.
6. Nous collaborons très bien.

88. Vocabulaire : le corps humain (la main)

1. D.
2. C.
3. E.
4. B.
5. A.
6. G.
7. I.
8. F.
9. H.
10. J.

89. Vocabulaire : le corps humain (la main)

1. E.
2. F.
3. G.
4. H.
5. B.
6. A.
7. C.
8. D.

90. Vocabulaire : le corps humain (le nez)

1. H.
2. C.
3. A.
4. B.
5. F.
6. J.
7. E.
8. D.
9. I.
10. G.

91. Vocabulaire : le corps humain (les yeux)

1. D.
2. F.
3. G.
4. I.
5. L.
6. E.
7. A.
8. J.
9. K.
10. B.
11. C.
12. H.

92. Vocabulaire : le corps humain (le dos)

1. Il est détesté de tous.
2. Je n'ai donné raison ni à l'un, ni à l'autre.
3. Ça me fait peur.
4. J'en ai assez.
5. La crise économique n'est pas responsable de tout.
6. Il n'a plus le choix.

93. Vocabulaire : le corps humain (le cœur)

1. Ça me fait mal au cœur de partir. (tristesse)
2. Elle a le cœur gros. (tristesse)
3. Il a du cœur au ventre. (courage)
4. Il a le cœur lourd. (tristesse)
5. Il a pris cela à cœur. (volonté)
6. Il a un cœur en or. (générosité)
7. Il a un cœur de pierre. (insensibilité)
8. Il n'a pas le cœur à rire. (tristesse)
9. J'en ai gros sur le cœur. (tristesse)
10. Il a bon cœur. (générosité)
11. Il a mis du cœur à l'ouvrage. (volonté)
12. Il a le portefeuille à la place du cœur. (insensibilité)

94. Vocabulaire : le corps humain

1. B.
2. A.
3. E.
4. C.
5. F.
6. H.
7. K.
8. I.
9. J.
10. L.
11. M.
12. N.
13. G.
14. D.

95. Vocabulaire : le corps humain

avare	
distraite	X
généreuse	X
médisante	
menteuse	
modeste	X
orgueilleuse	
réaliste	X
serviable	X
vigilante	

96. Vocabulaire : le corps humain

Il a un défaut de prononciation.	X
Il boit.	X
Il est ambitieux.	
Il est avare.	X
Il est bizarre.	
Il est curieux.	X
Il est fier.	
Il est médisant.	
Il est menteur.	
Il est orgueilleux.	X
Il est vindicatif.	X
Il manque d'humour.	
Il n'est pas très bon professionnellement.	X
Il parle mal anglais.	X
Il se trompe souvent.	X

97. Vocabulaire : le corps humain

1. L'autre jour, j'ai invité Edith dans mon **pied**-à-terre. Je lui ai offert deux **doigts** de porto, et j'ai été à deux **doigts** de demander sa **main,** comme ça, sur un coup de **tête**. Je t'assure, il s'en est fallu d'un **cheveu** !

2. Serge, il n'a pas la **langue** dans sa poche. En plus, il ne manque pas d'**estomac**. C'est peut-être pour ça qu'il s'est mis tout le monde à **dos**. Lui et moi, c'est comme les cinq **doigts** de la **main**. Je l'aime beaucoup car il a un **cœur** d'or.

3. Ce que tu m'as dit n'est pas tombé dans l'**oreille** d'un sourd : je me doutais bien que Josette me cassait du sucre sur le **dos**. Je te remercie. Grâce à toi, je sais à quoi m'en tenir et je l'aurai à l'**œil** maintenant. Ça me fend le **cœur** d'apprendre qu'elle dit du mal de moi ; j'ai longtemps cru qu'elle m'aimait bien : j'en aurais mis ma **main** à couper. Mais je me suis bien mis le **doigt** dans l'**œil** !

4. J'ai rencontré le père Émile : à 80 ans, il a toujours bon **pied** bon **œil**. Il a beau répéter qu'il a déjà un **pied** dans la tombe, il est toujours gaillard. Et il a la **langue** bien pendue ! L'autre jour, il m'a tenu la **jambe** pendant une demi-heure. Vraiment, quand je le vois en si bonne santé, les **bras** m'en tombent.

UNITÉ 5

98. Rapporter les paroles de quelqu'un

A. 5.
B. 1.
C. 6.
D. 3.
E. 4.
F. 2.

99. Vocabulaire : les expressions du discours rapporté familier

1. H.
2. E.
3. D.
4. B.
5. F.
6. J.
7. A.
8. I.
9. G.
10. C.

100. Rapporter les paroles de quelqu'un

Il m'a draguée dès le début de la conversation.
J'ai l'impression que c'est surtout moi qui l'intéresse.
Il m'a fait beaucoup de compliments sur mon projet.
Il semble pressé de démarrer ce projet.

101. Rapporter les paroles de quelqu'un

C'est un vrai moulin à parole.
Il m'a raconté sa vie avant de me proposer une audition.
Il m'a tenu la jambe pendant dix minutes pour finalement me fixer rendez-vous samedi soir.
Il n'écoute même pas ce qu'on lui dit.
Il ne m'a pas dit grand-chose. On se voit samedi.
Je n'ai pas pu en placer une !
Je pense que ça ne va pas être facile de travailler avec lui.
Qu'est-ce qu'il est bavard, ce type !

102. Rapporter les paroles de quelqu'un

Le coiffeur a conseillé à sa cliente un changement de coiffure.
Il lui a proposé un prix intéressant.
Il a fait des compliments à la cliente sur sa beauté.
Il lui a suggéré de se faire couper les cheveux.
Il lui a proposé de se teindre légèrement les cheveux.
Il a demandé à la cliente de lui faire confiance.

103. Rapporter les paroles de quelqu'un

1. a suggéré
2. a conseillé
3. a reproché
4. a critiqué
5. a demandé notre avis
6. a promis
7. a conseillé
8. a critiqué
9. a averti(e)s
10. a interdit

104. La concordance des temps

1. Il a dit qu'il avait rencontré Pierre.
2. Elle a dit qu'elle allait bientôt terminer.
3. Il a dit qu'il serait en retard.
4. Il a dit que ce serait possible à partir de lundi.
5. Il m'a demandé s'il m'avait déjà rencontré.
6. Il m'a demandé si j'avais participé à la réunion de janvier.
7. Il a dit qu'il allait partir à la Martinique.
8. Elle m'a demandé pourquoi je ne lui avais pas téléphoné.

105. La concordance des temps

1. Il nous a dit qu'il nous rappellerait demain.
2. Elle nous a dit qu'elle avait pris le métro.
3. Elle nous a demandé si nous serions chez nous entre midi et deux.
4. Elle nous a dit qu'elle avait pris froid et qu'elle allait aller chez le médecin.
5. Il nous a dit qu'il n'avait pas terminé son article pour *Sciences et Vie*.
6. Ils nous ont dit qu'ils reviendraient nous voir le week-end prochain.
7. Il nous a dit qu'il était resté à la maison tout le week-end.
8. Elle nous a dit qu'elle ne pouvait pas (ou : ne pourrait pas) rentrer avant lundi.

106. La concordance des temps

1. Je suis contente d'être de nouveau parisienne.
2. J'ai été très heureux de vous revoir tous les deux dans la capitale.
3. J'aurais préféré rester plus longtemps en votre compagnie.
4. J'ai réussi à trouver du travail.
5. Je ne reviendrai pas avant la fin de l'été.
6. Je n'oublierai jamais ces deux semaines de bonheur.
7. Tu sais que tu pourras toujours compter sur moi.
8. Rendez-vous près de la machine à café, d'accord ?

107. Construction des verbes du discours rapporté

1. de
2. que
3. à
4. de
5. de
6. pour
7. de
8. de
9. qu'
10. d'

108. Construction des verbes du discours rapporté + « que » (avec ou sans subjonctif)
1. ferions
2. serait signé
3. viendrait
4. passions
5. avait
6. était
7. tenions
8. vienne

109. Verbes introducteurs du discours rapporté
1. C.
2. A.
3. E.
4. F.
5. D.
6. G.
7. B.

110. Vocabulaire : répondre
1. a-t-il protesté
2. a-t-il précisé
3. a-t-il conclu
4. s'est-il félicité
5. a-t-il menacé
6. a-t-il expliqué
7. s'est-il excusé
8. a-t-il rétorqué

111. Verbes du discours rapporté
1. ont approuvé
2. s'est réjoui
3. a dénoncé
4. a renoncé à
5. s'est obstiné à
6. a tenté de
7. a déploré
8. avons manifesté

112. Verbes du discours rapporté
1. a consenti
2. a tenté de
3. a cherché à
4. a émis des doutes sur
5. a renouvelé
6. s'est inquiété
7. a constaté
8. a contesté

113. Verbes du discours rapporté
Texte n° 2

114. Accepter / refuser
A. 1. ma proposition
2. de
3. que
4. de

B. 1. a refusé
2. a refusé
3. ai refusé
4. ai accepté

115. Annoncer
1. son départ
2. que
3. à
4. lui / que
5. allait

116. Décider
1. de
2. à
3. que
4. de
5. pour
6. le licenciement
7. René
8. d'

117. Demander
1. si
2. d'
3. passiez
4. à
5. lui
6. en
7. la lune
8. à Paul

118. Insister
A. 1. sur
2. pour que
3. pour

B. 1. abandonnez
2. persévérez
3. Il a souligné

119. Penser (syntaxe)
1. à
2. qu'
3. à
4. de
5. en
6. y
7. rentrer
8. vienne.

120. Penser (sens)
1. J'envisage de
2. songé à
3. Je crois
4. Je crois
5. rêve qu'à ça
6. réfléchis
7. cru
8. envisagé

121. Préciser
1. si
2. ce que
3. vos dates
4. à M. Marin
5. que

122. Promettre
1. de
2. une augmentation
3. qu'
4. lui
5. les

123. Répéter
1. de
2. ce que
3. que
4. cette phrase
5. à
6. lui
7. les

124. Répondre
A. 1. à
2. de
3. lui
4. devrais
5. à

B. 1. E.
2. G.
3. B.
4. F.
5. A.
6. C.
7. D.

UNITÉ 6

125. Relations de cause / conséquence
1. L'enfant a été sauvé des flammes grâce à l'intervention rapide des pompiers.
2. Il a gagné la course malgré une crevaison à 5 km de l'arrivée.
3. J'ai raté mon train à cause des embouteillages.
4. La route a été coupée à la suite de violentes chutes de neige.
5. Je n'ai pas pu regarder le match à la télé à cause d'une panne d'électricité.
6. En raison du défilé du 14 juillet, la circulation sera interdite au centre-ville.
7. Le magasin sera/est fermé du 15/7 au 15/8 pour cause de congés annuels.
8. Il est arrivé au sommet malgré le froid et la fatigue.

126. Relations de cause / conséquence
1. grâce à
2. à cause du
3. malgré
4. en raison d'
5. À cause de
6. à cause des
7. malgré les
8. grâce au

127. Relations de cause / conséquence
1. B.
2. E.
3. A.
4. G.
5. D.
6. C.
7. F.

128. Relations de cause / conséquence
1. parce que son mari la battait.
2. à cause du brouillard.
3. car il est tard.
4. parce que c'est indispensable aujourd'hui pour trouver du travail.
5. parce qu'elle a beaucoup travaillé.

129. Relations de cause / conséquence
1. Comme il n'était pas là, j'ai laissé un message sur son répondeur.
2. Puisque vous ne voulez pas m'écouter, je me tais.
3. J'avais un travail urgent à terminer si bien que je n'ai pas eu le temps de déjeuner.

4. Je me tais parce que je n'ai plus rien à dire.
5. Comme il faisait beau, nous avons décidé de faire une petite promenade dans la forêt.
6. Il n'y avait personne, alors je suis rentré.
7. Puisque tout le monde est là, nous allons commencer l'entraînement.
8. Comme j'avais oublié ma clef, j'ai dû coucher à l'hôtel.

130. Relations de cause / conséquence

1. La popularité de Mel Gibson fait le succès de ce film. / Ce film a du succès grâce à la popularité de Mel Gibson, etc.
2. Comme il y a eu des élections anticipées, le budget de l'État n'a pas été voté.
3. À cause de la pluie, la fête de la Musique n'a pas connu un plein succès.
4. On a fermé l'autoroute A5 parce que le pont de Marly s'est écroulé.
5. J'ai trouvé un appartement grâce à Paul. / J'ai trouvé un appartement parce que Paul m'a aidé.
6. Comme il fait très beau, nous allons à la plage.
7. Comme le Premier ministre a été violemment attaqué, il a démissionné.
8. Je n'ai pas d'argent, donc je ne pars pas en vacances. / Comme je n'ai pas d'argent, je ne pars pas en vacances.

131. Mais, ou, et, donc, or, ni, car, puis

1. donc
2. mais
3. car
4. ou
5. ni
6. Or
7. puis
8. et

132. Le sens du conditionnel passé

information non sûre : 5 / 8 / 9
hypothèse : 4
remerciement : 3 / 10
reproche : 1 / 6
regret : 2 / 7

133. Le conditionnel passé (repérage)

	conditionnel	futur antérieur
1.	X	
2.	X	
3.		X
4.		X
5.	X	
6.	X	
7.		X
8.	X	
9.	X	
10.	X	

134. Le conditionnel présent et passé

1. resterais
2. aurais invité
3. aurais manqué
4. aurais pu
5. se verrait
6. obtiendrais
7. aurait cassé
8. supprimerais

135. Formuler des hypothèses

Le voisin a été inondé. (vrai)
Paul a appelé le plombier. (faux)
Paul a réparé la fuite lui-même. (vrai)
Il y a eu pour 12 000 francs de dégâts. (vrai)
Marie a payé l'assurance. (faux)
L'assurance a payé les dégâts. (faux)

136. Formules de politesse écrites

1. Nous avons le plaisir de
2. J'ai le plaisir de
3. C'est avec beaucoup de chagrin
4. C'est avec une grande joie
5. J'ai le devoir de
6. Adrien a la joie de

137. Formulation d'hypothèses

1. Si Henri téléphone, dites-lui que son chèque est prêt.
2. En cas de panne de l'appareil, prévenez immédiatement le service de maintenance.
3. Dans le cas où il n'y aurait plus de place dans le TGV de 17 h 15, je prendrais le suivant.
4. En cas de problème, n'hésitez pas à me téléphoner.
5. Si vous avez de la fièvre, doublez la dose.
6. Si je suis absent demain, vous annulerez tous mes rendez-vous.
7. Au cas où je ne serais pas au magasin, tu peux me joindre sur mon portable.
8. Prévoyons un éclairage de secours dans l'éventualité d'une panne d'électricité.

138. Tant que / jusqu'à ce que

1. il m'ait reçu.
2. j'aie terminé.
3. je n'aurai pas terminé de corriger ce manuscrit.
4. vous m'ayez tout expliqué.
5. je n'aurai pas fini ça.
6. je ne vous en aurai pas donné l'autorisation.
7. tu ne te seras pas excusé.
8. j'aie reçu confirmation de ma mission.

139. Tant que / jusqu'à ce que

1. n'aurez ...mangé
2. ayez répondu
3. se sera ...excusée
4. ait accordé
5. aient changé d'avis.
6. n'aurez ...terminé
7. ayez compris
8. a

140. Diverses formulations de l'hypothèse

1. Qu'il pleuve ou non, je vais me baigner.
2. Si ma femme appelle, passez-la-moi. Sinon, je ne suis là pour personne.
3. Je le verrai quand il sera libre.
4. Quoi qu'il se passe, je serai là à 10 heures.
5. De toute façon, je t'attendrai, même si tu es en retard.
6. Je serai là demain matin, à moins d'un imprévu.
7. La fête aura lieu dehors, sauf en cas de pluie.
8. Au cas où le concierge ne serait pas là, vous devez sonner à l'entrée de service.

141. pouvoir (sens)

1. M.
2. F.
3. N.
4. I.
5. K.
6. A.
7. C.
8. H.
9. B.
10. E.
11. J.
12. L.
13. D.
14. G.

142. Prendre (sens)

1. K.
2. D.
3. A.
4. L.
5. M.
6. E.
7. G.
8. N.
9. I.
10. B.
11. H.
12. C.
13. F.
14. J.

143. Comprendre (syntaxe)

1. ses explications
2. à ses explications
3. ce qu'il m'a dit
4. soyez
5. fallait
6. les
7. y

144. Comprendre (sens)

1. inclut
2. Je conçois
3. Je déchiffre
4. J'ai appris
5. réaliser
6. saisi

145. Attendre

1. Je m'attends à de nombreuses difficultés.

2. Je m'attends à ce qu'il vienne me voir pour me demander de l'argent.
3. J'attends de connaître les résultats pour triompher.
4. J'attends qu'il soit là pour commencer.
5. J'attends un courrier extrêmement important.
6. Qu'est-ce que vous attendez de moi ?
7. Attendez-moi !
8. Je ne m'attendais pas à de si bons résultats.
9. Je ne m'attendais pas à le voir arriver si tôt.
10. Vous pourriez attendre votre tour.
11. J'attends qu'il prenne une décision.

146. Vocabulaire : les mots français d'origine étrangère
1. Elle est amoureuse d'un torero. (espagnol)
2. Ce soir, je vais vous faire des spaghettis et un bon steak. (italien / anglais)
3. Henri, c'est un vrai macho ! (espagnol)
4. J'habite dans un petit bled près de Nice. (arabe)
5. Dans la vie, il faut être philosophe… (grec)
6. Rendez-vous en face du kiosque à musique. (turc)
7. Mets ton anorak pour faire du kayak, il fait très froid. (esquimau / esquimau)
8. J'ai loué un petit bungalow près de la plage. (anglais)
9. Ici, c'est la vie de pacha, la dolce vita… (turc / italien)
10. C'est le souk dans ta chambre ! Range ton pyjama ! (arabe / hindoustani)
11. Je trouve cette robe très chic. (allemand)
12. Moi pour les chiffres, je suis zéro. (arabe / arabe)

147. Vocabulaire : les mots français d'origine étrangère
1. Le ciel est bleu azur. (espagnol)
2. C'est un bambin de 3 ans. (italien)
3. J'aime bien les histoires de vampires. (allemand)
4. Il travaille comme un robot. (tchèque)
5. Tu veux du thé ou du café ? (thé : chinois - café : arabe ou turc)
6. Je suis invité à un cocktail à l'ambassade d'Espagne. (anglais)
7. Il est très sympathique. (grec)
8. Mon rêve ? Faire une croisière sur un gros paquebot. (anglais)
9. Il est parti en vacances en caravane. (persan)
10. Bravo ! (italien)
11. Comme c'est bizarre ! (espagnol)
12. Je suis arrivé ici par hasard. (arabe)

UNITÉ 7
148. Argumenter : critique positive ou négative

enr.	positive	négative
1.		X
2.	X	
3.		X
4.	X	
5.		X

149. Argumenter : critique positive ou négative
Voilà un fim passionnant / époustouflant ; les acteurs y sont formidables.
Pour traiter ce thème difficile, Cyril Vanne a vraiment fait le bon choix en adaptant un roman policier de Guy Torn, un superbe polar. Le héros est sympathique et plein d'humour. Un rythme trépidant pour un film plein de talent.

150. Expression de l'opposition
bien que + subjonctif présent : 5
bien que + subjonctif passé : 1
bien que + adjectif : 10
pourtant + phrase : 2
en dépit de + nom : 3
quoique + subjonctif présent : 4
quoique + subjonctif passé : 8
quoique + adjectif : 11
quoi que + subjonctif présent : 6
même si + indicatif présent : 7
malgré + nom : 9-12

151. Expression de l'opposition
1. Malgré
2. Contrairement
3. pourtant
4. En revanche
5. En dépit des
6. Au contraire
7. À l'inverse de
8. bien que

152. Expression de l'opposition
1. La soirée a été très réussie, même si elle s'est terminée un peu trop tôt à mon goût.
2. Son exposé a été très brillant et pourtant, il ne connaissait pas très bien le sujet.
3. Je lui ai proposé de travailler avec moi, bien que nous ne soyons pas très amis.
4. Il est en pleine forme malgré ses 75 ans.
5. Quoique nous soyons en février, il fait un soleil de printemps.
6. Il se promène habillé d'une chemise d'été en dépit du froid.

153. Expression de l'opposition
1. ce match était sans intérêt.
2. je peux vous proposer une chambre double, pour le même prix.
3. légèrement timide.
4. son âge.
5. nous nous aimons.
6. s'il y a peu de monde.
7. le bilan financier de cette année est excellent.
8. je n'ai jamais rencontré quelqu'un d'aussi amusant.

154. Les articulateurs logiques
1. car / En revanche
2. Bien qu'
3. également
4. d'abord / ensuite / et surtout
5. Même s' / parce qu' / et qu'
6. si bien que

155. Argumenter : enchaîner des arguments
1. B.
2. C.
3. E.
4. A.
5. D.

156. Argumenter
1. Alain : défavorable (homme) / favorable (femme)
2. Alain : favorable (homme) / favorable (femme)
3. Pierre : favorable (homme) / défavorable (femme)
4. Alain : favorable (homme) / défavorable (femme)
5. Pierre : défavorable (homme) / favorable (femme)
6. Alain et Pierre : favorable (homme)
7. Pierre : favorable (homme) / défavorable (femme)
8. Pierre : favorable (homme) / favorable (femme)

157. Argumenter : nouveau / pas nouveau

	enr.	nouveau	pas nouveau
un livre	1		X
un film	10	X	
une voiture	5		X
la peinture	8		X
un camescope	7	X	
la prison	3		X
un bâtiment	2	X	
la télévision	6		X
un meuble	9		X
quelqu'un	4		X

158. Argumenter : cher / pas cher

	cher	pas cher
1.	X	
2.		X
3.		X
4.	X	
5.	X	
6.	X	
7.		X
8.		X
9.	X	
10.		X
11.		X
12.		X
13.	X	
14.		X

159. Argumenter : laid / beau

	beau	laid
1.		X
2.	X	
3.		X
4.	X	
5.		X
6.	X	
7.		X
8.	X	

160. Argumenter : agréable / désagréable

	agréable	désagréable
1.		X
2.		X
3.		X
4.		X
5.	X	
6.		X
7.		X
8.	X	
9.	X	
10.	X	
11.		X
12.		X
13.		X
14.		X

161. Argumenter : choisir un argument

1. inoffensif
2. N'ayez pas peur !
3. empêcher de
4. manifestes
5. discret
6. efficace
7. énergique
8. pittoresque

162. Argumenter : choisir un argument positif ou négatif

1. consciencieuse / honnête.
2. menteur / inorganisé.
3. nulle
4. calme / simple.
5. plaisante / tranquille.
6. sûr de lui / prétentieux.
7. creux / inintéressants.
8. souriantes / attentionnées

163. (S') apercevoir

A. 1. qu'
   2. de
   3. Depardieu

B. 1. J'ai remarqué
   2. repéré
   3. vous rendre compte
   4. a remarqué

164. Chercher

1. à
2. votre manteau.
3. si
4. en
5. à
6. en
7. le
8. me

165. Choisir

1. de
2. entre
3. Le
4. Lequel
5. en

166. Espérer

A. 1. que
   2. réussisse
   3. des jours
   4. être
   5. de

B. 1. J'attends
   2. Je souhaite
   3. attendu

167. Oublier

A. 1. de
   2. que
   3. son nom

B. 1. négligé
   2. perdu
   3. laissé.
   4. omis

168. Prévenir

A. 1. que
   2. d'
   3. l'

B. 1. éviter
   2. Avertis-moi
   3. averti
   4. informé
   5. j'appelle

169. Reconnaître (sens)

A. 1. J'admets mes erreurs.
   2. Je l'ai identifié à son rire.
   3. Il a visité les lieux avant le tournage du film.
   4. Est-ce que vous identifier quelqu'un sur cette photo ?
   5. Le public a enfin admis son immense talent.

B. 1. C.
   2. B.
   3. A.
   4. E.
   5. D.

170. Regretter / avoir le regret

1. de
2. puisses
3. mon geste
4. de

UNITÉ 8

171. Les pronoms relatifs

1. dont
2. que

3. qui
4. dont
5. dont
6. que
7. qui
8. dont

172. Les pronoms relatifs

1. je tiens
2. je t'ai parlé
3. j'ai beaucoup d'affection
4. j'ai toute confiance
5. je me souviendrai
6. s'est confiée
7. il se rend
8. on dit beaucoup de mal

173. Les pronoms relatifs : emploi avec une préposition

1. sur
2. dans
3. selon
4. sur
5. à
6. pendant / durant
7. de
8. grâce

174. Construction de quelques locutions verbales

1. en qui
2. pour qui
3. dont
4. à laquelle
5. chez lequel
6. auquel
7. par qui
8. de laquelle

175. Vocabulaire : le verbe « tenir »

1. D.
2. I.
3. J.
4. B.
5. H.
6. C.
7. G.
8. E.
9. F.
10. A.

176. La nominalisation

1. abonnement
2. abstention
3. accueil
4. admission
5. affirmation
6. amour
7. amélioration
8. animation
9. annulation
10. association.

177. La nominalisation

1. assurance
2. attente
3. bavardages
4. blessures
5. boissons
6. branchements
7. bronzage
8. choix
9. collaboration
10. connaissance

178. La nominalisation
1. emprunts
2. ennui
3. essai
4. coupure
5. embarquement
6. évocation
7. existence
8. explications
9. expression
10. explosion

179. La nominalisation
1. fermeture
2. ouverture
3. fondation
4. formation
5. guérison
6. connaissance
7. arrivée
8. contrôle
9. ralentissement
10. visite

180. La nominalisation
1. consommer
2. cuire
3. décider
4. inscrire
5. déménager
6. immigrer
7. a hérité
8. hésiter
9. identifier
10. insister

181. La nominalisation
1. installation
2. questions
3. invitation
4. lancement
5. lavage
6. lecture
7. logement
8. location
9. naissance
10. occupations

182. La nominalisation
1. opérer
2. organiser
3. avons oublié
4. visiter
5. perdre
6. a permis
7. présente
8. avons produit
9. se promener
10. promet

183. La nominalisation
1. protection
2. protestation
3. publication
4. réalisation
5. réception
6. rédaction
7. remboursement
8. remerciements
9. remplacement
10. réparation

184. La nominalisation
1. confiance
2. répétition
3. réservation
4. satisfaction
5. séparation
6. signature
7. témoignages
8. traduction
9. utilisation
10. versements

185. La nominalisation
1. baignade
2. ma commande
3. comptes
4. espoir
5. habitation
6. actions
7. garniture
8. arrivage

186. Les moments d'une prise de parole
1. en premier lieu (début)
2. le mot de la fin (fin)
3. transition (milieu)
4. débuterons (début)
5. En guise de conclusion (fin)
6. Une fois franchie cette première étape (milieu)
7. ne pas avoir été trop long (fin)
8. La suite (milieu)

187. Les moments d'une prise de parole
1. terminer (fin)
2. J'aborde maintenant (milieu)
3. revenir sur ce point (milieu)
4. En somme / finit (fin)
5. au terme (fin)
6. commencerai (début)
7. Cette deuxième partie (milieu)
8. assez de paroles (fin)
9. aborder (début)
10. avoir exposé les faits (fin)

188. Préfixation en « re- » (verbes)
1. réabonné
2. rappelé
3. revu
4. rebranché
5. rechangé
6. redéménagé
7. repeindre
8. réorganisé

189. Préfixation en « re- » (noms)
2. négociation
4. lecture
5. évaluation
8. définition
9. organisation

190. Préfixation en « in-» ou « im- » (noms)
1. prudence
3. compréhension
4. patience
5. justice
7. popularité
9. mobilité
10. stabilité

191. Préfixation en « in-» ou « im- » (adjectifs)
2. prudent
3. complet
4. déterminée
5. moral
6. prévisible
7. prévisible
8. formelle
9. compréhensible

192. Préfixation en « dé- »
1. Inverse : 1, 3, 4, 5, 6.
2. Pas inverse : 2, 7, 8.

193. Commencer
A. 1. à dormir
2. mon rapport.

B. 1. ai débuté
2. ai entrepris
3. a entamé
4. est né
5. ai amorcé
6. ont attaqué
7. ouvrir
8. a fondé
9. a amorcé
10. ai entrepris de

194. Achever (sens et syntaxe)
A. 1. mon travail
2. de

B. 1. finir
2. a pris fin
3. conclu

195. Quelques sens particuliers de « un » et « une »
1. E.
2. C.
3. F.
4. D.
5. B.
6. A.

196. Préfixation en « re- » ou « de- » (verbes)
1. répétition
2. autre sens
3. contraire
4. répétition
5. répétition
6. répétition
7. contraire
8. autre sens
9. contraire
10. autre sens

197. Vocabulaire : verbe « prendre »
1. F.
2. C.
3. H.
4. I.
5. G.
6. D.
7. A.
8. B.
9. E.
10. J.

198. Vocabulaire : verbe « prendre »
1. I.
2. G.

3. H.
4. J.
5. A.
6. C.
7. E.
8. B.
9. F.
10. D.

199. Expressions métaphoriques et populaires : emploi de pronoms

1. une histoire
2. la vie
3. la nourriture
4. une chanson
5. la bouche
6. une gifle
7. les fesses
8. des informations
9. de l'argent
10. la bouche

200. La comparaison : expressions imagées

1. Il a travaillé n'importe comment.
2. Nous avons été très mal accueillis.
3. Tout le monde m'a regardé avec insistance.
4. Elle a pleuré toutes les larmes de son corps.
5. Il aime beaucoup sa voiture.
6. Tu es très heureux.
7. Tu es très beau.
8. C'est très facile.

201. La comparaison

1. écris / Tu écris très mal.
2. me moque / Je ne me soucie absolument pas de ce qu'elle m'a dit.
3. souffle / Il respire bruyamment.
4. méchante / Elle est malfaisante.
5. retombe / Il sait se tirer de situations difficiles.
6. un pape / Il ne plaisante jamais.
7. la justice / Il n'est pas très drôle.

UNITÉ 9

202. Repérage des marqueurs temporels et articulateurs logiques

Marqueurs temporels :
hier
après [cette première collision]
Peu après
Articulateurs logiques :
En raison de (cause)
ainsi (conséquence)
À cause de [cet autre accident] (cause)
donc (conséquence / conclusion)
Grâce à [la diligence des secours]

203. Affiner son style

Exemple de corrigé :
Aujourd'hui, beaucoup de personnes connaissent des problèmes sentimentaux. Vivant seules ou parfois mariées, elles écrivent au courrier du cœur d'un journal **ou encore** consultent des voyantes. Elles téléphonent **aussi** aux animateurs d'émissions de radio spécialisées **car** elles pensent que ces « spécialistes » peuvent les aider. **En effet,** elles ne sont pas capables d'analyser elles-mêmes la situation ; **et souvent,** elles n'ont personne à qui se confier. **Enfin,** leur solitude est vraiment grande. **D'autre part,** elles sont souvent timides et réservées ; **et puis** elles craignent les indiscrétions. **Aussi,** elles choisissent l'anonymat de ces interlocuteurs, **car** pour elles, ce sont des oreilles amies, **et** elles peuvent enfin exprimer leur angoisse et leur mal de vivre.

204. Affiner son style (simplifier son expression)

Exemple de corrigé :
La pollution est un fléau majeur qui met en danger la vie de la planète. L'homme est en train de la détruire. Il en épuise les ressources qui feront demain défaut aux générations futures.

L'apprentissage d'une langue étrangère est une ouverture sur une autre culture. Il enrichit celui qui apprend. Il lui permet de confronter son mode de pensée à celui d'autres hommes. Il en découvre ainsi les différences et il apprend à les connaître et à les aimer.

205. Les articulateurs

Exemple de corrigé :
Antoine est un garçon très déplaisant **qui** ne fait que ce qui lui plaît. Il ne se préoccupe absolument pas des autres **et** tout le monde doit être à sa disposition. **À peine** est-il présent **que** personne n'existe plus. **Quand** on lui demande un petit service, il fait comme s'il n'avait pas entendu **car** il n'écoute pas les autres **et**, **en outre**, il leur coupe toujours la parole. **En fait,** il ne s'intéresse qu'à lui-même **et quand** quelqu'un se moque gentiment de lui, il se met **tout de suite** en colère. **Finalement,** il a réussi à se faire détester de tout le monde.

206. Affiner son style

Exemple de corrigé :
J'aimerais bien voyager et partir droit devant moi pour visiter les cinq continents. **Ainsi,** je verrais les gens d'autres pays **et** je pourrais découvrir d'autres façons de vivre. **Par exemple,** je goûterais les mille et un plats nouveaux de la gastronomie mondiale. Je me ferais **aussi** beaucoup d'amis. **Ainsi,** je m'emplirais les yeux des plus beaux paysages de la planète. **Enfin,** je rentrerais chez moi, enrichi par toutes ces rencontres et ces beautés.

207. Structurer un texte

Exemple de corrigé :
La publicité est au service du consommateur. Son premier but est d'informer le client. **En outre,** elle rend la vente de masse possible en abaissant les coûts. Elle a **donc** un rôle positif sur la consommation. **D'autre part,** elle a un incontestable intérêt esthétique : **ainsi,** certains films sont de véritables chefs-d'œuvre d'humour.

Mais il arrive que la publicité informe mal et même trompe délibérément le consommateur.

En outre, elle favorise, voire provoque, des achats inutiles. **Par ailleurs,** elle occupe une place trop importante dans les médias et défigure nos villes.
C'est pourquoi il appartient aux publicitaires de réglementer la profession.
Il faut **aussi** que les consommateurs contrôlent la publicité et se montrent exigeants.

208. Définir

la pollution urbaine : 6
Voltaire : 5
ricaner : 8
Le Mouvement de Libération des Femmes (M.L.F.) : 3
une inauguration : 4
les Objets Volants Non Identifiés (O.V.N.I.) : 1
un mini-hachoir électrique : 2
la solidarité : 7

209. Définir

1. consistent à
2. est un synonyme de
3. consiste en
4. sert à
5. sinon
6. sont les agents du
7. il s'agit d'
8. signifie le contraire d'

210. Précision du vocabulaire : le verbe « faire »

1. Cet été, nous avons parcouru 2400 kilomètres en un mois.
2. C'est un garçon très habile de ses mains : il a construit lui-même sa maison.
3. Dans cette région, la plupart des agriculteurs produisent des céréales.
4. Henri a gagné beaucoup d'argent en vendant des voitures d'occasion à l'étranger.
5. Excusez-moi, monsieur, est-ce que vous vendez ce modèle d'aspirateur ?
6. Je pense que Josette chausse du 36 ou du 37, maximum.
7. Il ne faut pas être soucieux/soucieuse pour Jacques : il va réussir, tu verras.
8. La fille aînée des Reverdy étudie le droit à Montpellier.
9. Jean-Paul, est-ce que tu as nettoyé ta chambre ?
10. Ces chaussures sont solides : elles m'ont duré quatre ans.

211. Prendre des notes

Proposition de correction :
M. Lebrun :
Demain : 1. Prendre RV pr M. Lebrun auprès de Claude Lenoir (Bordeaux) pr lundi 27.
2. Réserver une place sur vol → Madrid – Aller le 30 / retour 31 (fin de journée)
3. Envoyer dossier Leblanc → Londres

– Documentation salon du Livre (mercredi)
– Annuler tous les RV pr jeudi.

212. Oral / écrit : rapporter un événement par écrit

Proposition d'article :

Légère secousse sismique au sud du pays

On a enregistré hier soir à 16 h 42 un tremblement de terre dans la partie méridionale du pays. La secousse sismique, d'une magnitude de 3,9 sur l'échelle de Richter n'a pas provoqué de dégâts importants. Mais la population de la région a été terrorisée et est aussitôt sortie en courant dans les rues.

L'épicentre du tremblement de terre est situé à 200 kilomètres au sud de la capitale et la secousse n'a duré que 3 secondes. La semaine dernière déjà, on avait enregistré dans la même zone un premier tremblement de terre, d'une magnitude inférieure. Il est probable qu'il faut rapprocher cet événement des tremblements de terre qui ont secoué le centre de l'Italie le mois dernier, provoquant une dizaine de morts et des dégâts considérables dans plusieurs villages.

213. Oral / écrit : expression de l'opinion

1. « D'un côté, il y a la jeune femme que j'ai interrogée et qui sort en pleurant et se déclare bouleversée par le film. »
2. « Pourtant, certains en sont sortis avec une impression générale positive et, en même temps, avec le sentiment d'un assemblage de séquences connues. »
3. « … le jeune homme blasé qui, tout en appréciant la qualité du film, en sort sans enthousiasme. »
   « Le *happy end* semble très réussi puisque les spectateurs sont unanimes dans les louanges en ce qui concerne les scènes finales du film. »
4. « … certains en sont sortis avec une impression générale positive… »
5. « Mais en face de ces spectateurs déçus, il y a les enthousiastes, les passionnés. »
6. « … les spectateurs sont unanimes dans les louanges en ce qui concerne les scènes finales du film. »
   « Il y a ceux qui l'ont trouvé sans intérêt. »
7. « … certains en sont sortis avec une impression générale positive et, en même temps, avec le sentiment d'un assemblage de séquences connues. »
8. « … il y a les enthousiastes, les passionnés. »

214. Résumer un texte

Proposition de résumé :

Sport très populaire, la pétanque est pratiquée par de nombreuses catégories de population et sa fédération, 4e par l'importance des fédérations sportives, compte 460 000 membres. Cette popularité est due à la simplicité de ses règles : le jeu consiste à placer des boules métalliques près d'un « bouchon ». C'est un jeu individuel ou en équipes.

La pétanque – apparue dans le Midi au siècle dernier – va devenir un sport mondial. La France, par exemple, est désormais menacée, dans sa suprématie aux championnats du monde, par des concurrents venus de nations très lointaines. Grâce à ses qualités, la pétanque est pratiquée partout.

(99 mots)

215. Résumer un texte

Proposition de résumé :

L'innovation sera la caractéristique principale de la voiture de demain. Ainsi, elle s'ouvrira par simple reconnaissance des empreintes digitales de son propriétaire et son ordinateur embarqué proposera des itinéraires personnalisés.

Mais surtout elle sera plus sûre : matériaux plus solides, coussins gonflables, système antidémarrage par analyse de l'haleine en cas d'alcoolémie positive, système anticollision par détection radar des obstacles, amélioreront la sécurité. La voiture sera aussi moins polluante parce que la pollution et l'épuisement des énergies non renouvelables préoccupent l'opinion. Le véhicule électrique devrait s'imposer bien qu'il ne soit pas encore au point. Mais déjà on songe au moteur à hydrogène...

(107 mots)

216. Oral / écrit : synthèse d'informations

Proposition de lettre :

Monsieur,

Suite à notre conversation téléphonique en date du 15 juin 1997, j'ai le plaisir de vous confirmer notre souhait d'organiser un voyage en République Tchèque du 8 au 15 septembre 1997.

Je vous serais reconnaissant de bien vouloir m'adresser une proposition de programme accompagnée d'un devis. Notre groupe sera composé d'une soixantaine de personnes.

En vous remerciant, je vous prie d'agréer, Monsieur, mes salutations distinguées.

217. Enrichissement du vocabulaire : la métaphore

1. Elle est insupportable.
2. Tu as une très bonne vue.
3. Il est ennuyeux.
4. Je me suis lancé sans hésiter dans cette activité nouvelle.
5. Il n'est pas resté longtemps.
6. Il faut respecter l'ordre naturel des choses.
7. C'est très beau.
8. Je suis indécis.

218. Élargissement du vocabulaire : « -phile » / « -phobe » / « -phone »

	enr.
agoraphobe	2
arachnophobe	8
bibliophile	7
claustrophobe	4
francophile	1
xénophile	12

hydrophobe	11
germanophile	6
hispanophone	3
lusophone	5
cinéphile	9
xénophobe	10

219. Élargissement du vocabulaire : « -logue »

	enr.
anthropologue	10
cancérologue	3
egyptologue	4
géologue	5
graphologue	9
musicologue	1
philologue	8
psychologue	6
sociologue	7
vulcanologue	2

220. Élargissement du vocabulaire : « -mane »

	enr.
kleptomane	5
mégalomane	3
mélomane	2
mythomane	6
pyromane	4
toxicomane	1

221. Élargissement du vocabulaire : « poly- »

	enr.
polyglotte	4
polygame	2
polythéiste	5
polyvalent	3
polytechnicien	1

222. Élargissement du vocabulaire : « auto- »

	enr.
autodidacte	4
autonome	2
autonomiste	5
autocrate	1
autochtone	3

TRANSCRIPTIONS

UNITÉ 1

1. Exprimer une opinion positive ou négative

1. C'est la saison que je préfère. J'adore faire du ski, et puis il y a les fêtes de fin d'année, les cadeaux, le Jour de l'an...
2. Moi, je ne pourrais plus jamais vivre en ville. J'en ai assez de la pollution, des embouteillages, de l'agressivité.
3. Maintenant tout le monde a un portable. Cela devient insupportable. Je ne pense pas que les gens communiquent mieux qu'avant.
4. Internet ? Mais c'est formidable ! Maintenant tu as le monde à ta portée !
5. *Le Monde* ? Je ne le lis jamais ! En plus, il n'y a pas de photos !
6. -- Qu'est-ce que tu penses du nouveau gouvernement ?
   -- Ils sont jeunes, dynamiques et en plus il y a beaucoup de femmes. Ça change du précédent !
7. Ce que j'apprécie le plus chez Jacques, c'est qu'il est toujours à l'heure.
8. Paul ? Il m'énerve. Un jour, il dit « blanc » et le lendemain, il dit « noir ».

5. Exprimer une opinion positive ou négative

– Merci de voyager sur notre compagnie. Avant l'arrivée, si vous êtes d'accord, je voudrais vous poser quelques petites questions.
– Si vous voulez.
– Que pensez-vous de l'accueil ?
– Excellent ! Tout le monde est souriant.
– Que pensez-vous du confort ?
– Avec mes 120 kilos, je ne sais pas où mettre mes jambes.
– Avez-vous apprécié le repas qui vous a été servi pendant le vol ?
– Oui, puisque je vous ai demandé un deuxième plateau.
– Comment trouvez-vous le service ?
– Rapide, efficace.
– Avez-vous aimé le film projeté pendant le vol ?
– Je ne sais pas. J'ai dormi.
– Avons-nous respecté les horaires ?
– Oui, nous sommes partis à l'heure.

7. Exprimer une opinion positive ou négative

– Qu'est-ce que tu fais ?
– Je remplis le questionnaire. Ils veulent savoir si on est satisfaits des hôtels Cigogne.
– Ah bon ! Tu crois que ça sert à quelque chose ?
– S'ils font ça, c'est que ça doit servir... Comment tu as trouvé le confort de la chambre ?
– Pas trop mal. Le lit est un peu dur. Mais on entend tout ce que font les voisins.

Celui d'à côté, il ronfle et l'autre met la télévision à fond toute la nuit.
– Oh ! Toi, tu n'es jamais contente. Ça ne t'a pourtant pas empêchée de dormir.
– Par contre la salle de bains est très grande. Très pratiques, le sèche-cheveux et l'appareil pour cirer les chaussures.
– Et le petit déjeuner ?
– Ah ! Ça, très bien, copieux, le café est bon, mais après 10 heures c'est fermé. Nous, on est en vacances. Alors pas possible de faire la grasse matinée.
– Le restaurant... On n'y est jamais allés. On ne peut pas dire si c'est bien. Bon ensuite le personnel, l'entretien des chambres.
– Le personnel est très sympa. Le ménage est impeccable. De ce côté-là, rien à dire.
– Les tarifs ?
– Ce n'est pas donné. Quand on était au Royal Hôtel, c'était aussi bien et beaucoup moins cher.
– Ils demandent si on a des suggestions.
– Ce serait bien s'il y avait une télé et un mini-bar et aussi s'il y avait des chambres non-fumeurs. Ça sentait le tabac en entrant.

19. Vocabulaire : bête / intelligent

1. Jean-Paul, il n'a pas inventé l'eau chaude !
2. Cette fille, elle est géniale !
3. Il n'est pas très futé, ton copain !
4. Roger, ce n'est pas une lumière !
5. Henri, ce n'est pas Einstein !
6. Il a fait preuve d'une grande subtilité.
7. Je le trouve complètement stupide !
8. Ce n'est pas très fin ce que tu dis !
9. Elle est loin d'être idiote.
10. C'est complètement débile comme raisonnement !

UNITÉ 2

28. Impératif / Infinitif

1. S'il vous plaît, Paul, prêtez-moi votre stylo.
2. Bon, d'accord, amenez-moi votre voiture à 8 heures.
3. Décrocher le combiné puis introduire une pièce de 1 franc.
4. Mon rêve ? Visiter le Brésil.
5. Ah ! Manger, quel plaisir...
6. Un bon conseil : changez de régime !
7. Ouvrir la boîte puis verser le contenu dans la casserole, puis laisser cuire 10 minutes.
8. Vous ! Approchez-vous !

29. Donner des instructions

– Elle est jolie, ta robe.
– Je l'ai commandée aux Six Helvètes.
– Qu'est-ce que c'est ?
– Tu sais bien, un magasin de vente par correspondance.

– Ah ! oui. Moi, je n'aime pas... C'est long et compliqué.
– Mais non, c'est tout simple. Regarde... Tu choisis ton article dans le catalogue.
– Et après ?
– Après, il faut remplir le bulletin de commande. D'abord, tu reportes le code de l'article dans la colonne « référence ». Tu vois, il y a 7 chiffres et une lettre.
– C'est tout ?
– Non, attends ! Tu indiques la taille, puis la quantité.
– Et le prix ?
– Le prix, tu le portes dans la colonne à droite, là. Ensuite, il faut ajouter 35 francs pour les frais de port, ici.
– C'est raisonnable, 35 francs.
– Oui. Après, tu précises ton mode de paiement en cochant une case, ici en bas. Moi, je paie par chèque, alors il faut que je signe un chèque...
– Bien sûr.
– Mais, avant de faire le chèque, il faut que tu calcules le montant global de la commande et que tu l'inscrives en bas à droite.
– C'est fini ?
– Tu glisses le chèque avec le bon de commande dans une enveloppe timbrée...
– ... Et tu la postes. Oui, effectivement, c'est tout simple.
– Dis-donc, tu ne veux pas te commander un petit tailleur pour le printemps ?

30. Donner des instructions

– Tu peux m'aider à installer ça ? C'est un programme antivirus.
– Bon, d'abord tu mets une disquette vierge dans le lecteur de disquette.
– Le A ou le B ?
– Le A. Tu la formates.
– C'est y est, elle est formatée.
– Bon, tu l'enlèves et tu mets la disquette 1 dans le lecteur.
– Celle où il y a marqué « démarrage » ?
– Oui. Maintenant, tu tapes « installe ».
– Ça ne marche pas.
– « Installe » avec deux « l » « e ».
– OK. Maintenant ça marche. Qu'est-ce que je fais après ?
– Rien, tu suis les instructions.
– Qu'est-ce que je fais maintenant ? Ils disent que l'installation a réussi.
– Maintenant que c'est fini, tu mets ta disquette à toi, celle que tu as formatée.
– Voilà. J'appuie sur « entrée » ?
– Oui.
– Bon voilà, c'est fait. C'est drôlement rapide. Et après ?
– Tu inscris « antivirus » sur l'étiquette.
– Et comment je fais pour savoir si j'ai un virus ?
– D'abord, éteins. Maintenant mets ta disquette dans le lecteur A. Allume.
– Tu crois que ça marche ? Cela fait au moins 5 minutes que ça tourne.

– Tu ne sais pas lire ? C'est écrit « Patientez jusqu'à la fin des opérations ».
– C'est vrai. Tu as raison.
– Ah ! Voilà, c'est fini. Dis donc tu as 3 virus ! Il était temps !

39. Verbe + pronom
1. Non, j'en veux un seul.
2. Je n'en ai vu aucun.
3. Je vous les ai envoyés ce matin.
4. Non, et pourtant je l'ai cherchée toute la journée.
5. Oui, j'en ai connu plusieurs.
6. Je lui en ai indiqué deux.

UNITÉ 3

59. Accord du participe passé
1. Je l'ai surprise avec mes questions.
2. Je lui ai appris la mauvaise nouvelle.
3. Je ne l'ai pas comprise tout de suite.
4. Je l'ai conduit chez un médecin.
5. Je l'ai inscrite dans un cours de langues.
6. Je lui ai interdit de la revoir.
7. Je crois que je l'ai séduite.
8. Je l'ai reconduite chez sa mère.
9. Je l'ai rejointe vers minuit.
10. Je lui ai offert des fleurs.

66. Antériorité / postériorité
1. Il a à peine 15 ans.
2. Passé 22 heures, vous êtes priés de respecter la tranquillité de vos voisins.
3. J'ai 20 ans et des poussières.
4. Il vient tout juste d'avoir 18 ans.
5. Il est près de 20 heures à ma montre.
6. J'arrive dans une petite heure.
7. J'ai passé une bonne semaine à attendre.
8. Il me faut une demi-journée de travail pour terminer ça.
9. Je suis majeure.
10. Il est un peu plus de 15 h.

69. Passé proche / futur proche
1. Bon, je vais y aller !
2. Je viens de le croiser au restaurant.
3. Dans une dizaine d'années, vous allez constater que nos prévisions, hélas, étaient les bonnes.
4. J'arrive tout de suite !
5. Dans une vingtaine d'années, l'homme va débarquer sur Mars.
6. Cela a commencé il y a à peine 5 minutes.
7. J'arrive à l'instant !
8. Je vous reçois dans un instant.
9. J'ai terminé dans 5 minutes.
10. C'est presque fini.

73. Expression de la durée
1. Tu as une petite minute à m'accorder ?
2. Je t'attends depuis des heures.
3. J'en ai juste pour un instant.
4. Je t'aimerai jusqu'à ce que la mort nous sépare.
5. Le voyage a été interminable.
6. Je serai bref...
7. À peine arrivé, il était déjà reparti.

8. Ça existe depuis la nuit des temps.
9. Il est vieux comme Hérode.
10. Il a réparé ma voiture en un clin d'œil.
11. Cet appareil est garanti à vie.
12. Cela fait des siècles qu'on ne s'était pas vus.

UNITÉ 4

75. Le conditionnel
1. Vous aurez le temps de terminer ce rapport avant demain ?
2. Je partirais bien quelques jours en vacances...
3. Vous auriez dû me le dire plus tôt !
4. Qu'est-ce que vous auriez fait à ma place ?
5. Vous pourrez vous reposer pendant le week-end.
6. J'aimerais que nous parlions de tout ça un de ces jours.
7. Je serai là à midi pile.
8. Ça te ferait du bien une bonne douche.
9. Un bon film, ça nous changerait les idées...
10. Vous ferez attention au chien.

77. Faire une proposition
1. Tu pourrais faire attention !
2. Si on allait faire un petit tour à la plage ?
3. J'ai envie de voir ma mère. Qu'est-ce que tu en penses ?
4. On pourrait rendre visite aux Dupré ? Qu'est-ce que tu en dis ?
5. Si tu vas au marché, achète des tomates.
6. Ça te dirait d'aller au théâtre ce soir ?
7. On dirait qu'il n'est pas là.
8. Tu n'aurais pas envie de prendre un peu l'air ? On étouffe ici.
9. Tu n'as pas envie de sortir ? Tant pis.
10. Ça te plairait, un petit week-end à Londres ?

79. Faire une proposition
1. Vous ne pourriez pas être un peu plus clair ? On n'y comprend rien.
2. Si on tirait ça au clair ?
3. Vous pourriez au moins vous excuser !
4. Et si on y allait ? Il est plus de 6 heures.
5. On pourrait peut-être demander à Marc de nous aider.
6. Tu pourrais m'aider ? C'est lourd.
7. Je serais toi, je m'y prendrais autrement.
8. Qu'est-ce que vous diriez d'un petit plongeon à la piscine ?
9. Est-ce que vous pourriez me trouver l'adresse des établissements Duchaussois ?
10. Tu devrais tout reprendre à zéro !

81. Faire une proposition en utilisant ou non le conditionnel
1. On pourrait passer chez les Legros, ça fait longtemps que je ne les ai pas vus.
2. Et si on se faisait une petite bouffe à La Tour dorée ?
3. Ça te dit de faire un petit tour à vélo pour se mettre en forme ?
4. On ne pourrait pas faire une petite pause ? Ça fait des heures qu'on est au travail.
5. Tu n'as pas envie de faire dodo ? Il est tard et il y a école demain.
6. Ça te dirait une petite coupe de champagne ? J'en ai une bouteille au frigo.
7. Si vous me parliez un peu de vos projets ? On m'a dit que vous prépariez une exposition.
8. Je prendrais bien un peu l'air. On étouffe dans cette salle.
9. Vous ne voudriez pas passer les fêtes de fin d'année au soleil ? J'ai loué une petite maison dans le Sud de la Grèce.
10. On pourrait passer un coup de fil à ta mère. C'est son anniversaire.

82. Accepter / refuser
1. – Tu n'aurais pas envie de passer un petit week-end à la campagne ?
   – Tu as vu la météo? Ils prévoient de la pluie jusqu'à lundi !
2. – Et si on se faisait un petit repas d'amoureux ce soir pour fêter nos cinq ans de mariage ?
   – Les grands esprits se rencontrent. Je voulais te faire la surprise. J'ai réservé une table au Grand Vatel.
3. – On pourrait peut-être lui offrir un vélo pour Noël ?
   – Elle en a déjà un.
4. – Je vous propose de constituer des groupes de travail de trois ou quatre personnes.
   – Nous, on va dans la salle à côté.
   – Nous, on reste là.
5. – Si vous êtes d'accord, on pourrait faire une petite pause d'un quart d'heure.
   – Ça ne nous laisse même pas le temps de boire un café !
6. – Je vous propose de voter à main levée. Pour ou contre ma proposition ?
   – Ne te fatigue pas. On est tous d'accord.
7. – Ça te dirait de changer de quartier ? J'ai trouvé une petite maison à louer en banlieue.
   – Merci bien ! Si c'est pour faire deux heures de transports par jour...
8. – Et si on allait récupérer ta voiture au garage ?
   – Le garagiste m'a dit pas avant 7 heures !

83. Accepter / refuser
1. Tu ne voudrais pas mettre la table, Claude ?
2. Allez, les enfants ! Au lit ! Demain, il y a école !

3. On va prendre un dernier verre chez moi, Nathalie ?
4. Passe-moi du feu !
5. Est-ce que vous auriez quelques instants à m'accorder ?
6. Je voudrais vous faire essayer la dernière Rono.

84. Accepter / refuser
1. Est-ce que je peux inviter votre sœur à danser ?
2. Excusez-moi monsieur ! Vous n'auriez pas une petite pièce de 5 francs ? C'est pour manger.
3. Allez, reprends du gâteau !
4. Je vais faire une promenade à vélo. Tu viens chéri ?
5. Et si on allait passer le week-end à Nice ? Ça fait longtemps qu'on n'a pas vu la mer.
6. Excusez-moi monsieur, mais vous êtes assis à ma place !

86. Vocabulaire : le corps humain
1. J'en ai plein le dos.
2. Pouce !
3. Il a un petit verre dans le nez.
4. Je vous ai à l'œil !
5. Ça me fait une belle jambe.
6. Je vous sers deux doigts de porto ?
7. Je suis sur les genoux.
8. Je lui ai demandé sa main.
9. Il a bon cœur.
10. Il a un cheveu sur la langue.

96. Vocabulaire : le corps humain
Il faut que je te raconte ! L'autre jour, j'étais dans le bureau du patron. C'est à ce moment-là qu'Henri est arrivé. Comme d'habitude, il avait un petit coup dans le nez. Tu connais Henri ? C'est un collègue. Tu sais, celui qui a un cheveu sur la langue et qui met son nez partout. Le moins qu'on puisse dire, c'est qu'il n'a pas le nez en affaires. Une fois sur deux, il se met le doigt dans l'œil. En plus, il a le portefeuille à la place du cœur. Bref, tu t'en doutes, il a une dent contre moi, parce que moi, je n'ai pas ma langue dans ma poche ! Lui, depuis qu'il est le bras droit du patron, il a la grosse tête. Le patron veut l'envoyer à Londres alors qu'il parle anglais comme un pied.

UNITÉ 5

98. Rapporter les paroles de quelqu'un
1. M. Grimaud, je ne tolérerai pas un seul défaut de fabrication !
2. M. Grimaud, je vous préviens ! C'est ça ou la porte !
3. Alors, M. Grimaud, vous êtes à l'heure aujourd'hui. Votre réveil a bien sonné. Votre grand-mère n'est pas morte pour la 3ᵉ fois consécutive en l'espace d'un an. Votre petit dernier n'a pas la rougeole. C'est parfait. Nous allons examiner votre demande d'augmentation de salaire.
4. Et bien on va voir ce qu'on peut faire, M. Grimaud. Il faut réfléchir à la situation. Surtout ne pas se précipiter.

5. Alors, mon petit Grimaud, vous vous êtes remis de cette méchante grippe ?
6. Ah ! Mon cher Grimaud ! Content de vous revoir ! Je suis persuadé que nous allons faire du bon travail ensemble.

100. Rapporter les paroles de quelqu'un
Votre projet me semble très clair, Mademoiselle Lambert. Vous permettez que je vous appelle Corinne ? Comme je vous le disais, je trouve que vous avez fait un excellent travail, Corinne. J'aimerais revoir avec vous en détail le chapitre sur le financement ainsi que le calendrier que vous proposez. Je pense demander à une partie de mon équipe de se lancer le plus rapidement possible sur l'étude de marché que vous suggérez dans vos conclusions. Si vous voulez, nous pourrions en discuter en tête à tête. Je connais un excellent restaurant dans la banlieue de Lyon. Ce serait un lieu plus agréable pour parler de notre collaboration future que ce bureau où le téléphone sonne sans arrêt.

101. Rapporter les paroles de quelqu'un
– Vous savez, j'ai commencé très jeune dans le métier. Mon père ne voulait pas que je sois musicien. Il voulait que je sois médecin, comme lui. Les parents sont tous comme ça. Moi-même, j'aimerais que mon fils soit musicien. Peut-être qu'il voudra être médecin…
– Moi, mon père…
– Mais je sais que ce n'est pas pour m'entendre raconter ma vie que vous êtes là. Je cherche un saxophoniste et ce que vous faites correspond tout à fait à mon style de musique. Julien, mon ancien saxophoniste, m'a en effet quitté pour voler de ses propres ailes. Moi-même, à mes débuts, quand je jouais dans l'orchestre de Claude Legros, j'ai décidé un beau jour de rechercher la gloire et je crois que la suite m'a donné raison.
– Vous avez joué avec Claude Legros ?
– Mais, finalement, je ne regrette pas Julien, il n'en faisait qu'à sa tête. Revenons à vous ! Est-ce que vous pourriez participer à notre répétition de samedi ? Nous répétons dans une petite salle, Le Jazz-club, où les plus grands noms du jazz se sont succédé dans les années 50. Mais vous n'étiez pas né à cette époque.
– J'ai ….
– Moi, j'étais étudiant, en première année de médecine, pour faire plaisir à mon père, et en fait j'y passais toutes mes nuits. Je m'étais acheté une trompette en revendant mes livres de médecine. Et la journée, je dormais, au lieu d'aller à la fac. Mais je vous ennuie avec tout ça ! Donc à samedi, à 8 heures précises. J'ai horreur des gens qui n'arrivent pas à l'heure.

102. Rapporter les paroles de quelqu'un
Vous savez, Mademoiselle Guignard, vous devriez changer de coiffure. Ces cheveux longs et raides, ça vous donne un air sévère. Excusez-moi de vous dire ça, mais ça ne vous va pas très bien. Faites-moi confiance : je vous fais une coupe « mode », quelque chose de très « tendance », un rien audacieux mais sage quand même. Je vous laisse une mèche devant. Là, sur le côté, je coupe à hauteur des épaules. Ça vous dégage le visage et ça vous permet de faire toutes les coiffures que vous voulez. Qu'est-ce que vous en dites ? Vous n'avez pas envie d'essayer ? Et puis, tiens, on fait une petite coloration, mais quelque chose de très léger, mais quelque chose de très discret. Je suis sûr que ça vous ira très bien. Et puis, tenez, je vous fais une proposition honnête : la coupe et la coloration à moitié prix. Parce que je vous aime bien, vous êtes une cliente fidèle et surtout, vous avez un visage intéressant pour un coiffeur. Si, si ! Je vous assure. D'ailleurs, vous allez être tellement jolie que vous serez ma meilleure publicité. Alors, on y va ?

103. Rapporter les paroles de quelqu'un
1. Et si nous allions visiter les châteaux de la Loire ?
2. Je serais vous, je laisserais ma voiture au parking et je m'y rendrais à pied. C'est à deux pas d'ici.
3. Je ne vous avais pas demandé d'en parler à tout le monde !
4. Bravo pour votre travail. J'ai dû tout reprendre à zéro !
5. J'aimerais savoir ce que vous pensez de notre nouvelle campagne de publicité.
6. Tout sera prêt en temps voulu. Je m'y engage personnellement.
7. Tu devrais faire réparer ton toit : la pluie va bientôt tomber dans ta salle à manger.
8. Fais attention : tu roules trop vite et tu ne respectes pas les panneaux.
9. La prochaine fois, je prendrai des sanctions.
10. Il n'est pas question que vous sortiez ce soir.

104. La concordance des temps
1. Je viens de rencontrer Pierre. Il m'a demandé de vos nouvelles.
2. Soyez patient, je n'en ai plus pour longtemps.
3. Commencez sans moi ! Je ne peux pas être là avant 11 heures.
4. Je suis désolé, mais ce ne sera pas possible avant lundi.
5. Je vous ai déjà rencontré quelque part ?
6. Vous étiez là, à la réunion de janvier ?
7. Je dois partir à la Martinique, fin septembre.
8. Pourquoi est-ce que tu ne m'as pas téléphoné ?

106. Concordance des temps

1. Elle m'a dit qu'elle était contente d'être revenue à Paris.
2. Il m'a dit qu'il avait été heureux de nous revoir à Paris.
3. Il m'a dit qu'il aurait préféré rester plus longtemps parmi nous.
4. Il a dit qu'il avait réussi à trouver du boulot.
5. Il a dit qu'il ne pensait pas revenir avant l'automne.
6. Il a dit qu'il n'oublierait pas ces deux semaines de bonheur.
7. Il m'a dit que je pourrais toujours compter sur lui.
8. Elle m'a dit qu'elle m'attendrait près de la machine à café.

113. Rapporter un texte écrit

– Tiens, j'ai reçu une lettre de Jean-Pierre. Tu sais, je lui avais demandé s'il pouvait m'aider à rédiger un article sur l'architecture provençale.
– Et qu'est-ce qu'il en pense ?
– Il semble plutôt intéressé, d'autant plus qu'il m'a appris qu'il avait déjà un peu travaillé sur ce thème. Mais en ce moment, il est débordé de boulot et il n'envisage pas que ce soit possible avant fin septembre, début octobre. Il nous suggère de lui rendre visite pour un week-end.
– Super, cela fait longtemps qu'on n'est pas allés en Provence !

UNITÉ 6

133. Le conditionnel passé (repérage)

1. Je n'aurais jamais pensé cela de lui !
2. Vous auriez pu m'attendre !
3. J'aurai réparé votre voiture dans une petite heure.
4. Dans deux jours, vous aurez oublié cette petite opération.
5. Qu'est-ce que j'aurais aimé être là !
6. Nous aurions dû le prévenir.
7. Nous aurons bientôt terminé notre voyage.
8. Nous aurions préféré une table en terrasse.
9. Sans cette panne, nous serions arrivées à l'heure.
10. Vous n'auriez pas trouvé un portefeuille, par hasard ?

135. Formuler des hypothèses

– Écoute, Paul, si tu avais appelé le plombier, au lieu de vouloir réparer la fuite toi-même, on n'aurait pas provoqué une inondation dans l'appartement du voisin du dessous. Et ça nous aurait coûté moins cher : je te rappelle qu'il y a eu pour 12 000 francs de dégâts.
– Je suis d'accord, Julie, mais si tu n'avais pas oublié de payer l'assurance, ça ne nous aurait rien coûté !
– Si tu veux mon avis, Paul, arrête de bricoler l'électricité et appelle un électricien !
– D'accord, je ne suis peut-être pas très doué en plomberie. Par contre, en élec-

tricité, je suis champion. Et je suppose que maintenant tu as payé l'assurance ?
– Zut, j'ai oublié !

140. Diverses formulations de l'hypothèse

1. Demain, je vais me baigner, même s'il pleut.
2. Je ne suis là pour personne, sauf si c'est ma femme qui appelle.
3. Demandez à Paul s'il est libre ce soir. Sinon, dites-lui que je veux le voir.
4. Dans tous les cas, je serai là à 10 heures.
5. Si tu n'es pas à l'heure au rendez-vous, ça ne fait rien : je t'attendrai.
6. Sauf imprévu, je serai là demain matin.
7. La fête se déroulera en plein air, à moins qu'il ne pleuve.
8. En l'absence du concierge, sonnez à l'entrée de service.

UNITÉ 7

148. Argumenter : critique positive ou négative

1. Des acteurs excellents, une intrigue policière bien construite, mais *Air Force* est un film qui manque de rythme et de force de conviction et le spectateur reste extérieur.
2. *Le Lieutenant belge* démarre lentement, mais petit à petit on se sent pris par cette histoire romantique et par le jeu des acteurs tout à fait original.
3. Ce documentaire très attendu sur Che Guevara, avec beaucoup d'images d'époque, de documents inédits et de témoignages ne permet cependant pas de saisir vraiment l'image du Che.
4. Dans ce documentaire, intitulé *Les Coulisses des 24 heures,* Thierry Langlois nous fait véritablement pénétrer dans l'univers de la course automobile : chaude camaraderie des stands de ravitaillement, exaltation de la compétition, déception de la défaite, joie de la victoire, tout y est. Un travail remarquable, quarante-cinq minutes de pur plaisir. Pourtant, le jury du 6e festival du film documentaire de Perpignan n'a pas su apprécier la force de ce petit film.
5. Malgré un début prometteur, l'intrigue de *Un Bel Été* s'enlise bien vite dans le déjà-vu et la banalité. Même le jeu subtil, intelligent, sensible de l'acteur de grand talent qu'est Jacques Petitjean ne parvient pas à tirer le film de son ennuyeuse platitude.

150. Expression de l'opposition

1. Je vais participer à cette réunion, bien que personne ne m'ait prévenu.
2. Elle ne travaille pas beaucoup, et pourtant elle obtient de bons résultats.

3. Cela fonctionne en dépit de toute logique.
4. Quoiqu'il ne soit jamais très bavard, j'ai réussi à obtenir de lui quelques confidences.
5. Je vais essayer, bien qu'il y ait très peu de chance de réussite.
6. Il n'arrête pas de me critiquer, quoi que je dise, quoi que je fasse.
7. Je maintiens ma décision, même si vous n'êtes pas d'accord.
8. Quoiqu'il ait arrêté la compétition pendant plusieurs mois, c'est toujours lui le plus rapide.
9. Il ne s'est jamais découragé, malgré de nombreux échecs.
10. Bien que très courageuse, elle a renoncé à son expédition en Amazonie.
11. Quoique très malade, il n'a pas perdu sa bonne humeur.
12. Malgré des difficultés financières passagères, notre entreprise a un bel avenir.

156. Argumenter

1. – Vous ne trouvez pas qu'il est un peu trop jeune ?
   – La moyenne d'âge dans le service est de 43 ans. Ça rajeunira l'équipe.
2. – Est-ce qu'il parle l'anglais couramment ?
   – L'anglais et aussi l'espagnol et le portugais.
   – Ça, c'est une bonne chose. Son prédécesseur n'aurait pas été capable de demander une bière dans un pub londonien !
3. – D'accord, il est un petit peu plus âgé, mais il a davantage d'expérience.
   – Le problème, c'est que j'ai besoin de quelqu'un qui connaisse bien l'informatique. Je vous rappelle que nous allons fonctionner en réseau et nous installer sur Internet.
4. – Il a un brevet de pilote.
   – Je ne vois pas trop à quoi cela pourrait lui servir dans une compagnie de transports routiers.
5. – On ne peut pas dire qu'il ait trop de diplômes.
   – Ça, pour moi, ce n'est pas le plus important. Je n'ai même pas mon bac. Alors, les diplômes…
6. – Et sur le plan familial ?
   – Là, c'est difficile de trancher. Ils ne sont pas mariés, pas d'enfants. Disponibilité totale.
7. – Il a travaillé dans plusieurs grosses entreprises de transport.
   – Oui, mais il n'y est pas resté très longtemps et j'ai l'impression qu'il n'est pas très stable. Essayez de vous renseigner.
8. – Il a déjà travaillé à l'étranger, à Munich, je crois. Et apparemment, il parle très bien la langue.
   – Ça pourrait peut-être intéresser Gauthier pour notre filiale de Düsseldorf.

157. Argumenter : nouveau / pas nouveau

1. On a l'impression qu'il réécrit toujours la même histoire, certes avec beaucoup de talent.
2. C'est un projet architectural totalement futuriste.
3. Les jours se suivent et se ressemblent tous. Vivement la liberté…
4. Je n'aime pas son nouveau look. Il ressemble à un hippie des années 60.
5. La nouvelle Rono ? À part un moteur plus puissant et son toit ouvrant, elle laisse une impression de déjà-vu.
6. Les nouveaux programmes de la 8 ? Il n'y a rien de neuf. On prend les mêmes et on recommence.
7. Ce modèle intègre les dernières innovations technologiques en matière d'images numériques.
8. Tu ne trouves pas que ça date un peu, le cubisme ?
9. Il fait un petit peu vieillot, ton canapé à fleurs.
10. Nous avons employé une technique totalement révolutionnaire qui nous a permis des truquages époustouflants.

158. Argumenter : cher / pas cher

1. C'est hors de prix !
2. Tu peux l'avoir pour une bouchée de pain.
3. C'est à portée de toutes les bourses.
4. C'est pas donné !
5. Ça vaut une fortune !
6. C'est de l'escroquerie !
7. À ce prix-là, vous m'en mettrez une douzaine !
8. C'est une affaire en or !
9. Ça m'a coûté les yeux de la tête !
10. C'est un cadeau.
11. Ça ne vous coûtera pas un sou !
12. C'est l'affaire du siècle !
13. C'est de la folie !
14. Ça ne va pas te ruiner !

159. Argumenter : laid / beau

1. Qu'est-ce que c'est que cette horreur ?
2. C'est d'une beauté à vous couper le souffle.
3. Ce n'est pas ce qu'on fait de mieux sur le plan esthétique.
4. C'est un vrai plaisir pour les yeux.
5. Je trouve ça très moche.
6. C'est ravissant.
7. C'est d'un goût douteux.
8. Ce n'est pas laid.

160. Argumenter : agréable / désagréable

1. J'en ai eu froid dans le dos.
2. Je viens de passer un sale moment.
3. On se serait cru à un enterrement.
4. Quel cauchemar !
5. On a bien rigolé.
6. C'était d'un triste !
7. J'ai pris mon mal en patience.
8. Je n'ai pas vu le temps passer !
9. La journée s'est déroulée comme dans un rêve.
10. C'était comme dans un conte de fées.
11. Je viens de vivre une rude épreuve.
12. Ce n'était pas drôle du tout !
13. Je n'en pouvais plus.
14. J'avais hâte que ça finisse.

UNITÉ 8

186. Les moments d'une prise de parole

1. Il convient en premier lieu de définir ce qu'est l'impressionnisme.
2. Je laisserai le mot de la fin à mon collègue Auguste Pirou.
3. Après cette courte mais nécessaire transition, je vais reprendre le fil de mon exposé.
4. Nous débuterons par un tour d'horizon de la littérature des années 80.
5. En guise de conclusion, je citerai Rimbaud et dirai, comme lui, qu'on n'est pas sérieux quand on a 17 ans.
6. Une fois franchie cette première étape, nous examinerons les conséquences de cette invention sur notre vie quotidienne.
7. J'espère ne pas avoir été trop long.
8. La suite de mon exposé sera consacrée à la musique baroque.

187. Les moments d'une prise de parole

1. Je ne voudrais pas terminer sans rappeler le rôle de Madame Baudry dans la réussite de cette manifestation.
2. J'aborde maintenant le point essentiel de ma démonstration.
3. Et c'est pourquoi je vais revenir sur ce point que j'ai évoqué tout à l'heure.
4. En somme, tout est bien qui finit bien.
5. Me voici maintenant au terme de mon exposé.
6. Je commencerai par dresser un bilan de notre action.
7. Cette deuxième partie de ma plaidoirie apportera un démenti vigoureux à ces accusations.
8. Et maintenant, assez de paroles, place à la musique !
9. Comment aborder en si peu de temps un sujet aussi difficile ?
10. Je ne prétends pas vous avoir convaincu, mais simplement vous avoir exposé les faits.

UNITÉ 9

208. Définir

1. Il s'agit d'un sujet qui a fait couler beaucoup d'encre et qui réapparaît régulièrement dans la presse, sans qu'on puisse apporter à cette question une réponse définitive.
2. Cet ingénieux petit appareil vous permet de préparer en quelques secondes un assaisonnement à base de fines herbes, d'ail, d'épices diverses.
3. Apparu à la fin des années soixante, ce mouvement, qui va s'amplifier tout au long des années soixante-dix, modifiera considérablement la société des pays industrialisés dans cette seconde moitié du XXe siècle.
4. Cela consiste en une cérémonie qui rassemble un certain nombre de personnes plus ou moins importantes et qui marque l'ouverture officielle d'une route, d'un pont, d'un immeuble, etc.
5. Il est certainement le philosophe français le plus représentatif du Siècle des Lumières et probablement le plus connu.
6. Ce phénomène prend la forme d'une concentration anormale d'ozone dans l'atmosphère due aux effets conjugués de l'absence de vent et d'une circulation automobile intense.
7. C'est précisément le contraire de l'égoïsme.
8. Cela signifie : rire méchamment ou de façon méprisante.

211. Prendre des notes

– Mademoiselle Lerouge, je vais être absent quelques jours. Vous pourriez prendre note d'un certain nombre de choses dont j'aimerais que vous vous chargiez en mon absence ?

– Bien entendu Monsieur Lebrun.

– Il faudrait que vous contactiez Claude Lenoir à Bordeaux et que vous preniez rendez-vous pour moi lundi 27. Faites-le dès demain.

– C'est noté.

– Ensuite, j'aimerais que vous me réserviez une place sur le vol de Madrid pour le jeudi 30. Retour le 31 en fin de journée. N'oubliez pas d'envoyer le dossier Leblanc à notre bureau de Londres. Faites-le dès demain. C'est très urgent.

– Très bien.

– Sinon, il me faudrait une documentation sur le Salon du livre, mais ça peut attendre mercredi.

– Ça sera tout ?

– Je crois. Ah ! Non, j'oubliais ! Annulez tous mes rendez-vous pour jeudi, j'ai une partie de golf avec le président Levert.

212. Oral / écrit : rapporter un événement par écrit

– Tu as senti, hier ? Il y a eu un tremblement de terre.

– Non, pas du tout. À quelle heure ça s'est passé ?

– L'après-midi, vers 5 heures.

– Ah bon ! C'était fort ?

– Pas mal, 3,9 sur l'échelle de Richter. L'épicentre était au sud, à 200 km d'ici.

– Et il y a eu des dégâts ?

– Non, je ne crois pas, mais les gens ont eu peur. C'est le deuxième tremblement de terre en une semaine. Après tous ceux qui se sont produits en Italie le mois dernier.

213. Oral / écrit : expression de l'opinion

1. Je suis encore sous le coup de l'émotion ! La fin est tellement émouvante. Je suis bouleversée !
2. Ce film m'a donné une impression de déjà-vu ! Il n'y a pas d'idées neuves, mais petit à petit on entre dans le jeu. Très rapidement j'ai été captivé par l'intrigue.
3. Je ne comprends pas tout le bruit qu'on a fait autour de ce film. C'est un bon film, mais sans plus. Je me suis plutôt ennuyé, sauf peut-être à la fin.
4. Chaque scène est banale, mais le tout donne quelque chose de très original.
5. Je n'ai pas accroché au début. J'ai même failli sortir. Et puis au bout d'un moment on entre dans l'intrigue. La fin est géniale.
6. C'est la fin qui sauve le film. Le reste est sans intérêt.
7. Au début on se dit : « Tiens, ça ressemble à du Truffaut ». Un peu plus tard : « Ça, c'est du Pagnol », puis on y retrouve du Chatilliez et un peu de Carné et ainsi de suite. Et à la fin, on se dit : « Mais non, c'est du Durand. »
8. Super génial ! Ça m'a passionné d'un bout à l'autre !

216. Oral / écrit : synthèse d'informations

– Allô, bonjour monsieur. Je suis Cyril Bouchard, président de l'Association des anciens élèves de l'ESIS, l'École Supérieure d'Ingénieurs de Strasbourg. Voilà ... à l'occasion du cinquantenaire de notre école, l'association souhaite organiser un voyage qui réunirait les différentes promotions de l'ESIS.
– Oui ... écoutez, je pense qu'il n'y a pas de problème. Je pense que nous pouvons vous organiser ça. Vous avez fixé une destination ?
– Oui, nous avons pensé à la République Tchèque. On souhaiterait séjourner quelque temps à Prague et, surtout il faudrait que vous prévoyiez des visites techniques, je ne sais pas, moi, des visites d'usines, la visite d'un centre de recherche, d'un barrage. Vous comprenez ? Nous sommes tous des gens de métier...
– Je comprends. Ca ne devrait pas poser de problème. Est-ce que vous avez déjà arrêté une date ?
– Oui, j'ai consulté les membres de l'association. Apparemment, ce qui convient le mieux, ce serait le début du mois de septembre, disons la semaine du 8 au 15.
– Du 8 au 15 septembre. Entendu. Je note. Écoutez, je vais réfléchir à un programme et je vous fais une proposition écrite, avec un devis. Vous pouvez me donner une adresse où je peux vous envoyer un dossier ?
– Oui ... donc ... Cyril Bouchard ... Président de l'association des Anciens de l'ESIS, 42, quai de l'Europe 67 000 Strasbourg.
– D'accord ... De votre côté, envoyez-moi une lettre ou un fax pour mettre tout ça par écrit et demander un devis. Vous avez mon adresse ?
– Oui ... Transports et voyages Voiney, 112, rue Nelson Mandela, à Colmar.
– C'est bien ça. Je suis Édouard Voiney, le directeur.
– Très bien. Je vous adresse un courrier cette semaine. Je vous remercie. Au revoir.
– Au revoir, monsieur.

218. Élargissement du vocabulaire : « -phile » / « -phobe » / « -phone »

1. Vive la France !
2. J'aimerais vivre sur une île déserte !
3. Hablo muy bien español.
4. Je ne supporte pas d'être enfermée dans un ascenseur !
5. Je suis portugaise.
6. J'aime beaucoup la culture allemande.
7. J'ai la passion des livres.
8. Je déteste les araignées.
9. Je vais au cinéma quatre fois par semaine.
10. Je déteste les étrangers.
11. J'ai peur de l'eau.
12. J'ai des amis dans le monde entier.

219. Élargissement du vocabulaire : « -logue »

1. Je suis une spécialiste de la musique.
2. Je m'appelle Haroun Tazieff.
3. J'ai obtenu le prix Nobel de médecine.
4. Je suis un spécialiste des pyramides.
5. Je fais des forages pour la recherche du pétrole.
6. On m'appelle quelquefois, à tort, le médecin de l'âme.
7. J'étudie le fonctionnement de la société.
8. Je suis un ami du langage.
9. Moi, je peux dire qui vous êtes en analysant votre écriture.
10. J'ai passé toute ma vie à étudier les civilisations amérindiennes.

220. Élargissement du vocabulaire : « -mane »

1. C'est un drogué.
2. Elle adore la musique.
3. Il a la folie des grandeurs.
4. Il est fasciné par le feu.
5. Il ne peut pas s'empêcher de voler.
6. Il s'invente des histoires.

221. Élargissement du vocabulaire : « poly- »

1. Il a fait ses études dans une école prestigieuse.
2. Il a épousé plusieurs femmes.
3. C'est une personne qui a des talents divers.
4. Il parle plus d'une langue.
5. C'est quelqu'un qui croit en plusieurs dieux.

222. Élargissement du vocabulaire : « auto- »

1. C'est un dictateur.
2. Il est indépendant.
3. Elle est née ici.
4. Tout ce qu'elle sait, elle l'a appris toute seule.
5. Il réclame l'indépendance de sa région.

CORRESPONDANCE NUMÉROS DES EXERCICES / PLAGES DU CD Audio

Introduction, plage 1

Unité 1
Exercice 1, plage 2
Exercice 5, plage 3
Exercice 7, plage 4
Exercice 19, plage 5

Unité 2
Exercice 28, plage 6
Exercice 29, plage 7
Exercice 30, plage 8
Exercice 39, plage 9

Unité 3
Exercice 59, plage 10
Exercice 66, plage 11
Exercice 69, plage 12
Exercice 73, plage 13

Unité 4
Exercice 75, plage 14
Exercice 77, plage 15
Exercice 79, plage 16

Exercice 81, plage 17
Exercice 82, plage 18
Exercice 83, plage 19
Exercice 84, plage 20
Exercice 86, plage 21
Exercice 96, plage 22

Unité 5
Exercice 98, plage 23
Exercice 100, plage 24
Exercice 101, plage 25
Exercice 102, plage 26
Exercice 103, plage 27
Exercice 104, plage 28
Exercice 106, plage 29
Exercice 113, plage 30

Unité 6
Exercice 133, plage 31
Exercice 135, plage 32
Exercice 140, plage 33

Unité 7
Exercice 148, plage 34
Exercice 150, plage 35

Exercice 156, plage 36
Exercice 157, plage 37
Exercice 158, plage 38
Exercice 159, plage 39
Exercice 160, plage 40

Unité 8
Exercice 186, plage 41
Exercice 187, plage 42

Unité 9
Exercice 208, plage 43
Exercice 211, plage 44
Exercice 212, plage 45
Exercice 213, plage 46
Exercice 216, plage 47
Exercice 218, plage 48
Exercice 219, plage 49
Exercice 220, plage 50
Exercice 221, plage 51
Exercice 222, plage 52

Fin (musique), plage 53

Imprimé en France par I.M.E. - 25110 Baume-les-Dames
Dépôt légal : 26561 - Février 2004 - 5069/04 - N° imprimeur : 17266